LA CLASSIFICATION SCIENTIFIQUE DES PLANTES VERTES

LES PLANTES VERTES
plantes avec de la chlorophylle

LES ALGUES VERTES
plantes aquatiques de formes variées

LES PLANTES VERTES TERRESTRES
avec tiges et feuilles

LES MOUSSES
feuilles sans nervures

LES PLANTES A FEUILLES AVEC DES NERVURES
avec des vaisseaux conducteurs de la sève

LES FOUGÈRES
Plantes à spores avec feuilles plus ou moins composées

Polypode (20 à 30 cm)

LES PLANTES A GRAINES

LES CONIFÈRES
graines situées sur les écailles des cônes

Épicéa
(30 à 40 m)

LES PLANTES A FLEURS
graines logées dans un fruit

Fraisier
(10 à 15 cm)

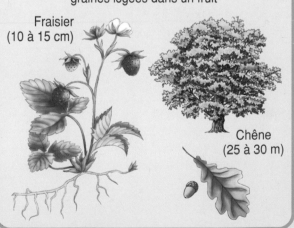

Chêne
(25 à 30 m)

R. Tavernier

CM1-CM2
Cycle 3

Programme 2008

Sciences expérimentales
et
technologie

Cet ouvrage est le résultat du travail d'une équipe d'enseignants :
professeurs des écoles, professeurs d'IUFM, CPAIEN, IEN.

Ce livre a été écrit sous la direction de Raymond Tavernier par

B. Calmettes

J. Lamarque

M. Margotin-Passat

M.-A. Pierrard

R. Tavernier

Bordas

Sommaire

Programme : B.O. du 19 juin 2008

1 L'unité et la diversité du vivant

▶ Présentation de la biodiversité : recherche de différences entre espèces vivantes.

▶ Présentation de l'unité du vivant : recherche de points communs entre espèces vivantes.

▶ Présentation de la classification du vivant : interprétation de ressemblances et différences en termes de parenté.

2 Le fonctionnement du vivant

▶ Les stades de développement d'un être vivant (végétal ou animal).

▶ Les conditions de développement des végétaux et des animaux.

3 Le fonctionnement du corps humain et la santé

▶ Première approche des fonctions de nutrition : digestion, respiration et circulation sanguine.

▶ Reproduction de l'Homme et éducation à la sexualité.

▶ Hygiène et santé : actions bénéfiques ou nocives de nos comportements, notamment dans le domaine du sport, de l'alimentation, du sommeil.

4 Les êtres vivants dans leur environnement

▶ L'adaptation des êtres vivants aux conditions du milieu.

▶ Places et rôles des êtres vivants ; notions de chaînes et de réseaux alimentaires.

© BORDAS/SEJER, Paris, 2010
ISBN 978-2-04-732703-6

Un outil de travail à votre service

▶ Ce manuel pour les classes de CM1 et de CM2 se présente sous la forme de doubles pages dans lesquelles des activités variées sont proposées à la réflexion des élèves. Chaque double page étudie un sujet du programme, comme le montre la correspondance entre le sommaire et le programme officiel (pages 2 et 3).

▶ Dans chaque double page, on trouve les mêmes repères qui constituent les jalons de base de la démarche d'investigation :
– Des **questions, des échanges...** qui permettent de dégager clairement **le problème à résoudre**.
– Des **documents de travail** ᴰᵒᶜ**1**, ᴰᵒᶜ**2**, ᴰᵘᶜ**3**... supports de l'activité d'investigation.

– La rubrique « **activités** » constitue une aide à l'exploitation des documents.

▶ Le travail sur une double page doit permettre aux élèves de s'approprier des connaissances nouvelles. Après avoir confronté les résultats de leurs recherches, les élèves, avec l'aide de l'enseignant, **formulent les notions découvertes**. Ils les utilisent pour répondre au problème posé au début de l'étude.

Ces nouvelles connaissances sont confrontées aux formulations regroupées dans le manuel à la fin de chaque partie sous la rubrique « **J'ai découvert** ».

Des questions, des échanges... pour
• faire référence à des situations de la vie courante ;
• focaliser la curiosité et déclencher les questions ;
• faire exprimer les idées préalables (les représentations).

Le titre
Il présente le plus clairement possible le sujet abordé.

Tu es responsable | de la santé de tes dents

Décalque cette photographie et colorie différemment les incisives, les canines et les molaires.

Des questions, des échanges...
↝ À quoi servent les dents ?
↝ As-tu déjà perdu des dents ? Que s'est-il passé ensuite ?
↝ Sais-tu ce qu'on appelle une dent de lait ? et une dent définitive ?

Le problème à résoudre
↝ Que signifie l'expression : prendre soin de ses dents ?

Les dents sont des organes vivants

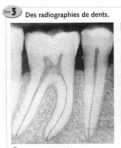

ᴰᵒᶜ**3** Des radiographies de dents.

❶ Dents en bonne santé   ❷ Dent cariée

Combien as-tu de dents ?

ᴰᵒᶜ**1** Combien a-t-il de dents ? Ont-elles toutes la même forme ?

j'ai 20 dents

incisive   canine   molaire

ᴰᵒᶜ**2** Qu'est-ce qu'une dent de lait ?
À la naissance, un bébé n'a pas de dents. Les premières dents apparaissent vers 6 à 7 mois et, à l'âge de 2 ans, un enfant possède 20 dents de lait.

À partir de 7 ans environ, et jusqu'à 12 ans, les dents de lait tombent et sont remplacées par des dents définitives que l'on conserve toute la vie.

À quel âge sortent les dents définitives ?

6 à 8 ans	
7 à 9 ans	
10 à 11 ans	
9 à 11 ans	incisives
11 à 12 ans	canine
6 à 7 ans	molaires
12 à 13 ans	
17 à 21 ans	adulte

ᴰᵒᶜ**4** Comment se font les caries ?
À la surface de chacune de tes dents vivent des milliers d'êtres vivants microscopiques.
Ce sont des **bactéries** qui se nourrissent des restes d'aliments (notamment des sucres) qu'elles transforment en acide.
Cet acide attaque la surface des dents et fait des « trous » : ce sont les **caries**.

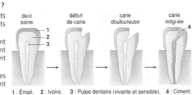

dent saine | début de carie | carie douloureuse | carie soignée

1 : Émail.   2 : Ivoire.   3 : Pulpe dentaire (vivante et sensible).   4 : Ciment.

Activités
• Combien as-tu de dents ? Comment faire pour le savoir ?
• En mordant dans une galette de pâte à modeler bien propre, tu obtiens les empreintes de tes dents (doc. ❶). Toutes les dents n'ont pas la même forme. Combien de sortes de dents as-tu ?
• Décalque la photographie du document ❸ ❶ et indique les légendes : racine, couronne, émail, ivoire, pulpe dentaire.
• Qu'est-ce qu'une carie ?
• Pourquoi doit-on se laver les dents ?

Des documents de travail ᴰᵒᶜ**1** ᴰᵒᶜ**2** ᴰᵒᶜ**3** ᴰᵒᶜ**4**
• Soigneusement choisis pour servir de support à la recherche.
• Permettant des comparaisons et des généralisations.

Les activités
Les questions fournissent une aide pour analyser les documents et résoudre le problème posé.

L'unité et la diversité du vivant

Un oiseau très familier : le moineau. À quoi le reconnais-tu ? Que sais-tu de lui ?

Des questions, des échanges...

➡ Cite des animaux que tu peux voir dans ton voisinage.

➡ Pour chacun d'eux précise où il vit. Un animal peut-il vivre n'importe où ?

➡ Propose une définition pour les mots suivants : le monde vivant, un animal, un être vivant.

Le problème à résoudre

➡ Préciser les principaux caractères du monde animal.

Une grande diversité d'animaux...

Doc **1**   **Où peux-tu les rencontrer ?**

Les invités de ces pages
- Moineau
- Araignée
- Escargot
- Coccinelle
- Pucerons
- Fourmi

es animaux de ton environnement

...avec des caractéristiques précises

Doc 2 — Une carte d'identité pour chacun.

Nom : ...... ❶
- **Habitat** : dans les jardins potagers.
- **Nutrition** : feuilles de laitue, de radis, de choux…
- **Reproduction** : nombreux œufs à chaque ponte.
- **Durée de vie** : plusieurs années.

Nom : ...... ❷
- **Habitat** : dans les jardins, les cultures, les haies…
- **Nutrition** : 100 à 150 pucerons par jour.
- **Reproduction** : 500 à 1 000 œufs pondus en plusieurs fois.
- **Durée de vie** : à peine 1 mois.

Nom : ...... ❸
- **Habitat** : dans les jardins, dans les haies…
- **Nutrition** : insecte de petite taille, capturé grâce à une « toile » construite verticalement.
- **Reproduction** : nombreux œufs pondus dans un cocon de soie.
- **Durée de vie** : quelques semaines.

Nom : ...... ❹
- **Habitat** : près des habitations aussi bien en ville qu'à la campagne.
- **Nutrition** : graines, fruits, miettes de pain, petits insectes…
- **Reproduction** : 2 à 3 pontes par an de 4 à 6 œufs, dans un nid construit par les parents.
- **Durée de vie** : 8 à 10 ans.

Nom : ...... ❺
- **Habitat** : sur les tiges ou les feuilles de diverses plantes.
- **Nutrition** : sève des végétaux.
- **Reproduction** : très rapide, la population peut doubler en trois jours.
- **Durée de vie** : une dizaine de jours en été.

Nom : ...... ❻
- **Habitat** : dans les forêts, les jardins, les maisons…
- **Nutrition** : très variable selon les espèces (débris animaux ou végétaux).
- **Reproduction** : vit en société. Seule la reine pond des œufs.
- **Durée de vie** : 3 à 4 mois.

f — P_1 P_2 P_3

Insecte ? Araignée ? Sais-tu compter jusqu'à 8 ?

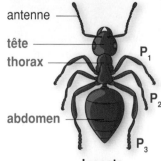

antenne — tête — thorax — abdomen — P_1 P_2 P_3

Insecte
- corps en 3 parties
- 3 paires de pattes fixées sur le thorax
- des antennes fixées sur la tête

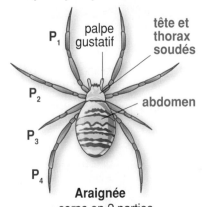

P_1 — palpe gustatif — tête et thorax soudés — P_2 — abdomen — P_3 — P_4

Araignée
- corps en 2 parties
- 4 paires de pattes
- pas d'antennes

Activités

- Donne un nom à chacun des animaux de ces deux pages.
- Où pourrait-on les trouver et les regarder vivre ?
- Pour chaque carte d'identité, retrouve son propriétaire.
- Quelle définition donnerais-tu d'un animal ?

Du vert, du vert, et encore du vert !
De quoi s'agit-il ?

Des questions, des échanges…

➡ Cite des plantes que tu connais.

➡ Se ressemblent-elles ? Qu'ont-elles en commun ? Où les trouve-t-on ?

➡ Pourquoi parle-t-on de « plantes chlorophylliennes » ?

➡ Sais-tu ce qu'est la chlorophylle ?

Le problème à résoudre

➡ Le monde des plantes chlorophylliennes présente-t-il une grande diversité ?

Les plantes à fleurs

Doc **1** 250 000 espèces de plantes à fleurs.

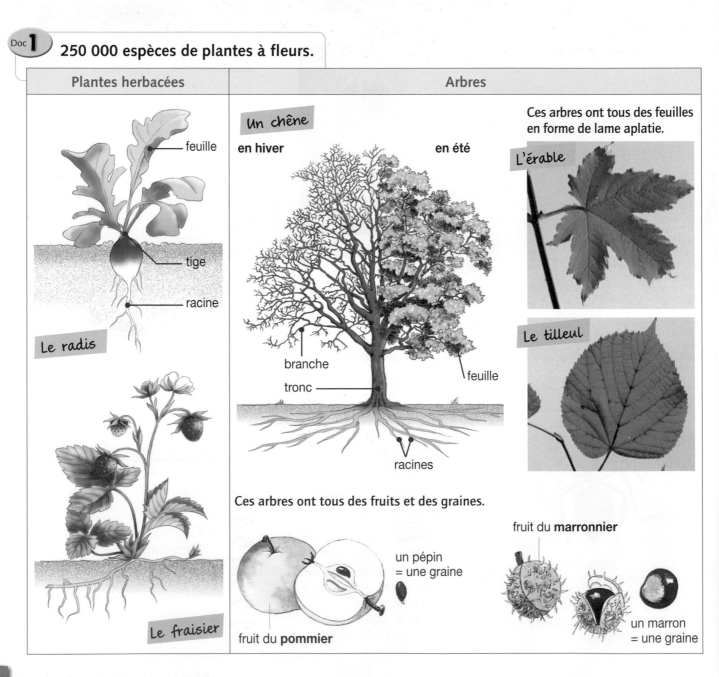

Plantes herbacées	Arbres

Le radis — feuille, tige, racine

Le fraisier

Un chêne
en hiver — en été
branche, tronc, feuille, racines

Ces arbres ont tous des fruits et des graines.

fruit du **pommier** — un pépin = une graine

fruit du **marronnier** — un marron = une graine

Ces arbres ont tous des feuilles en forme de lame aplatie.

L'érable

Le tilleul

D'autres groupes de plantes chlorophylliennes

Doc 2 **Les conifères.**
(800 espèces)

Un pin

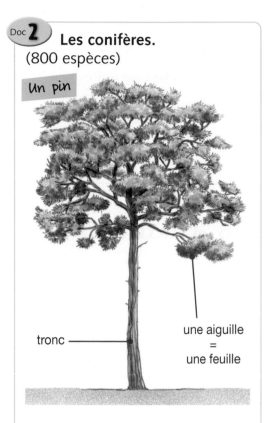

tronc

une aiguille
=
une feuille

• Ces arbres ont tous des feuilles en « aiguilles » ou en écailles.

• Ces arbres ont tous des fruits appelés cônes et des graines.

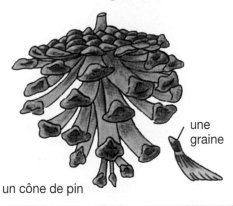

une graine

un cône de pin

Doc 3 **D'autres plantes chlorophylliennes.**

Les fougères

Les mousses

Les lichens

Les algues

Activités

● Quelles différences y a-t-il entre un arbre et une plante herbacée ?

● Quelles plantes chlorophylliennes produisent des graines ?

Quelle différence y a-t-il entre une mésange et une mésange bleue ?

La notion d'espèce chez les animaux

Doc **1**   **Quel est cet animal ?**

« C'est un moineau ». **Non.**

« C'est un oiseau ». **Oui.**

« C'est une mésange ». **Bravo.**

« Mais quelle espèce de mésange ? »

Mésange bleue

❶ Tête : calotte bleue bordée de blanc
❷ Joues blanches
❸ Bande noire en travers de l'œil
❹ Ventre jaune citron

Mésange

1 mot désigne le genre

Mésange charbonnière

❶ Dessus de la tête bleu-noir
❷ Joues blanches bordées de noir
❸ Gorge noire
❹ Ventre jaune vif

Mésange charbonnière

2 mots désignent l'espèce

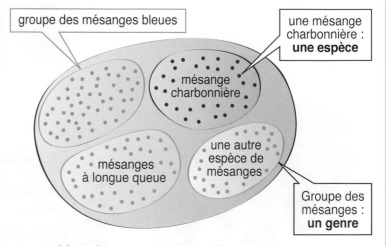

groupe des mésanges bleues

une mésange charbonnière : **une espèce**

mésange charbonnière

mésanges à longue queue

une autre espèce de mésanges

Groupe des mésanges : **un genre**

Mésange charbonnière et mésange bleue se ressemblent beaucoup, mais elles ne peuvent se reproduire entre elles. Elles appartiennent donc à deux espèces différentes.

Deux mots pour désigner une espèce

Doc 2 Qu'est-ce que c'est ?

« C'est un champignon ». *Oui.*
« C'est une amanite ». *Oui.*
« Mais quelle espèce d'amanite ? »

Les amanites

- Ce sont des champignons à **lamelles**, possédant une **volve** et un **anneau**.
- La volve persiste en général à la base du pied.
- Les lamelles sont blanches sauf pour l'oronge.
- Le pied est facilement séparable du chapeau.
- Trois amanites sont mortelles. Il est très important d'apprendre à les reconnaître.

Amanite phalloïde

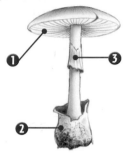

① ③ chapeau vert olive ou blanchâtre

② volve blanchâtre souvent enterrée

Amanite tue-mouches (fausse oronge)

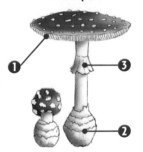

① ③ chapeau rouge avec verrues blanches

② bourrelets restes de la volve

Amanite printanière

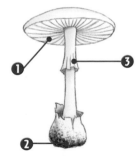

① ③

entièrement blanche

②

1. lamelles – 2. volve – 3. anneau

lamelles

anneau

volve

couleur vert olive

Activités

- Une mésange bleue et une mésange charbonnière sont-elles de la même espèce ?
- Le document **2** présente trois espèces d'amanites. Quels sont les caractères communs entre ces trois espèces ?
- Donne le nom de l'amanite présentée sur chacune des photographies.
- Dans le monde vivant, combien faut-il de mots pour désigner une espèce ?

Ces pyrrochores semblent tous identiques et pourtant chacun est différent de son voisin.

La diversité des espèces

Doc 1

La Terre est peuplée de nombreux êtres vivants.

L'inventaire des êtres vivants qui peuplent la Terre a débuté il y a plusieurs siècles.

Actuellement, on connaît 1 800 000 espèces d'êtres vivants mais leur nombre réel serait compris entre 8 et 10 millions. Certains groupes comme celui des insectes ou celui des champignons sont encore mal connus.

Pour beaucoup d'espèces, on ne possède qu'une brève description. On sait peu de choses de leur mode de vie, de leur répartition géographique… Seuls quelques exemplaires sont conservés dans des musées. Les scientifiques ont donc encore un gros travail à faire !!!

Doc 2

Quelques exemples dans un inventaire encore inachevé.

Mammifères
4 000

4 000

Mollusques
70 000

200 000

Amphibiens
4 200

4 500

Oiseaux
9 000

9 000

Bactéries
4 000
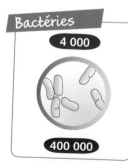
400 000

Champignons
70 000

1 à 2 000 000

Insectes
950 000

8 000 000

Plantes à fleurs
250 000

360 000

En rouge : nombre approximatif d'espèces recensées.

En noir : nombre approximatif d'espèces existantes.

La diversité dans une même espèce

Doc 3 **Dans une même espèce, chaque être vivant est unique.**

Tous les élèves de ta classe font partie de la même espèce, celle des hommes. Et pourtant, vous n'êtes pas tous identiques.

En effet, vous n'avez pas les mêmes parents. Vous avez hérité d'eux des caractères (couleur des yeux, aspect des cheveux, forme du visage…) qui vous distinguent les uns des autres.

Cette diversité à l'intérieur d'une espèce existe pour tous les êtres vivants.

La diversité dans les trois grands milieux

Doc 4 **Chaque milieu a un peuplement d'espèces plus ou moins riche.**

Le milieu terrestre	Le milieu des eaux douces	Le milieu marin
Le milieu terrestre est le plus riche en espèces. Il compte environ 1 600 000 espèces, avec une prédominance pour les insectes et les plantes à fleurs.	Les eaux douces occupent seulement 1 % des terres émergées et possèdent environ 200 000 espèces dont la moitié sont des insectes.	Le milieu marin compte 250 000 espèces qui appartiennent à de très nombreux groupes : quinze grands groupes d'êtres vivants sont exclusivement marins.

Activités

- Fais la liste des informations que tu retiens de l'analyse des documents **1** et **2**.
- À quoi est due la diversité à l'intérieur d'une espèce ?
- Quel est le milieu qui comporte le plus grand nombre d'espèces ? Quel est le milieu qui comporte le plus grand nombre de groupes ?
- La biodiversité s'étudie à trois niveaux. Lesquels ?

Des questions, des échanges…

➡ Cite des propriétés communes aux êtres vivants.

➡ Que signifient les expressions : le monde vivant, les êtres vivants, le vivant ?

➡ Une fleur, une plume… font-elles partie du monde vivant ?

Le problème à résoudre

➡ Pourquoi parle-t-on d'unité du monde vivant ?

Combien d'animaux différents vois-tu ? Ont-ils des points communs ? Lesquels ?

Tu sais déjà que…

Doc **1** **Tous les êtres vivants, animaux, plantes vertes, bactéries…**

…naissent

L'union d'un ovule et d'un spermatozoïde est le point de départ d'un nouvel être vivant.

…grandissent

Un jeune être vivant grandit et atteint la taille adulte.

…se reproduisent

À l'âge adulte, un être vivant peut se reproduire et assurer ainsi la survie de l'espèce.

Doc **2** **Les êtres vivants construisent eux-mêmes leur matière vivante.**

La construction de nouvelle matière se prolonge pendant toute la durée de la vie.

Tu apprendras plus tard que...

Doc 3 **Tous les êtres vivants sont construits avec les mêmes constituants chimiques.**

On appelle **matière organique** les constituants chimiques communs à tous les êtres vivants (glucides, lipides, protides).

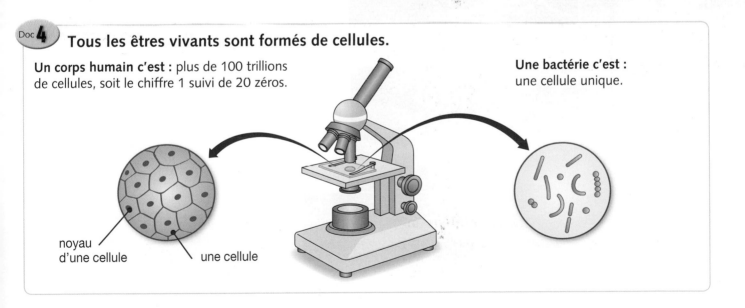

74 % **herbe** 19 % 3 % 0,8 % 3,2 %

60 % **mouton** 20 % 16 % 3,4 % 0,6 %

75 % **maïs** 18 % 1,7 % 0,8 % 4,5 %

59 % **homme** 18 % 18 % 4,3 % 0,7 %

■ eau
■ sels minéraux

■ glucides ⎤
■ lipides ⎥ constituants organiques
■ protides ⎦

Doc 4 **Tous les êtres vivants sont formés de cellules.**

Un corps humain c'est : plus de 100 trillions de cellules, soit le chiffre 1 suivi de 20 zéros.

Une bactérie c'est : une cellule unique.

noyau d'une cellule

une cellule

Activités

● Chaque document de cette double page donne un caractère commun à tous les êtres vivants. Établis la liste de ces caractères.

● Les êtres vivants construisent eux-mêmes la matière qui les constitue. À partir de quoi ?

● Pourquoi parle-t-on « d'unité du monde vivant » ?

Des ressemblances

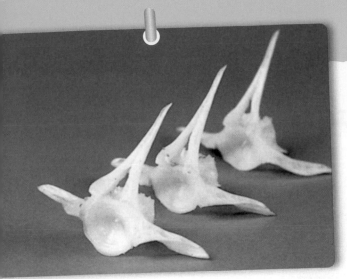

Trois vertèbres de poisson. Dans quelle partie du corps sont-elles situées ?

Des questions, des échanges...
➥ Qu'est-ce que la colonne vertébrale ?
➥ D'après toi, que signifie le mot vertébré ?
➥ Les vertébrés ont-ils tous quatre membres ?
➥ Ces membres se ressemblent-ils ?

Le problème à résoudre
➥ Rechercher les ressemblances et les différences à l'intérieur d'un groupe, celui des vertébrés.

Qu'est-ce qu'un vertébré ?

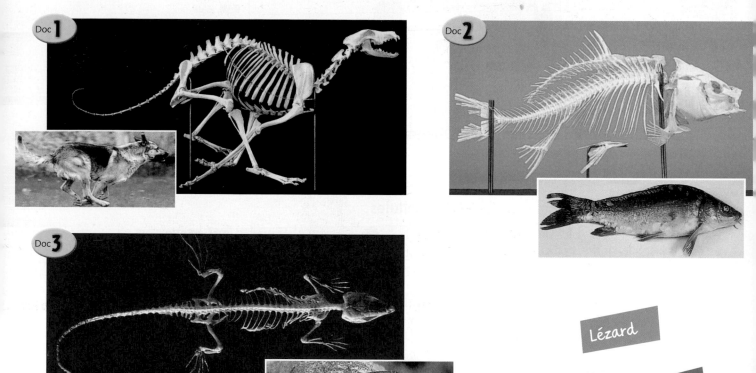

Doc **1**

Doc **2**

Doc **3**

Lézard

Chien

Carpe

Activités

- Que représentent les documents **1** à **3**.

- Quelles sont les ressemblances entre les squelettes de ces trois animaux.

- Énumère les ressemblances et les différences entre le squelette de l'aile de chauve-souris et celui de l'aile d'oiseau.

- Décalque le squelette du bras (doc. **7**) et utilise le même code de couleurs que sur les autres squelettes. Que constates-tu ?

- Pourquoi dit-on que les membres des vertébrés ont le même « plan d'organisation » ?

Un même plan d'organisation

Doc **4** Une chauve-souris.

Doc **5** Une mésange.

Doc **6** Une otarie.

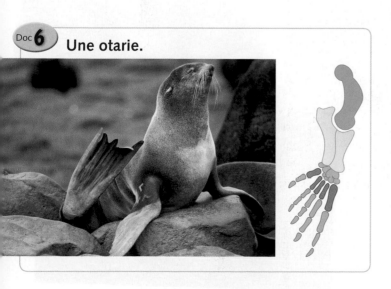

Doc **7** Squelette de bras humain.

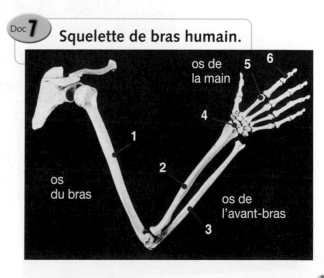

os de la main
os du bras
os de l'avant-bras

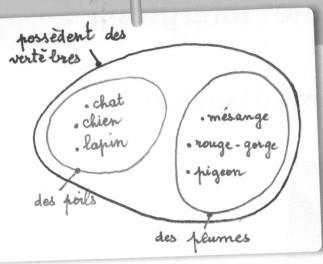

possèdent des vertèbres

• chat
• chien
• lapin

• mésange
• rouge-gorge
• pigeon

des poils

des plumes

Que représente ce dessin ? Quels critères a-t-on utilisés pour faire ces regroupements ?

Des questions, des échanges...
➡ Si l'on te demande de classer des images d'animaux, comment fais-tu ?
➡ Connais-tu le sens du mot « critère » ?

Le problème à résoudre
➡ Comment les scientifiques classent-ils les êtres vivants ?

Comment établir des relations de parenté entre les êtres vivants ?

Doc 1 **Ces six espèces partagent entre elles des caractères communs.**

La présentation des résultats

Doc 2 La comparaison des êtres vivants actuels permet de mettre en évidence des caractères communs.

	colonne vertébrale	quatre membres ou deux pattes et deux ailes	poils	plumes	nageoires rayonnées
Écureuil roux	+	+	+		
Gobie tacheté	+				+
Goéland cendré	+	+		+	
Lièvre européen	+	+	+		
Mouette rieuse	+	+		+	
Renard argenté	+	+	+		

> Un critère de classification est un caractère commun à plusieurs espèces d'êtres vivants. Il permet de les regrouper dans un même ensemble.

Doc 3 Une présentation en « ensembles emboîtés ».

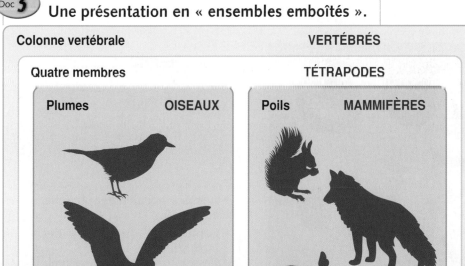

Colonne vertébrale — VERTÉBRÉS

Quatre membres — TÉTRAPODES

Plumes — OISEAUX

Poils — MAMMIFÈRES

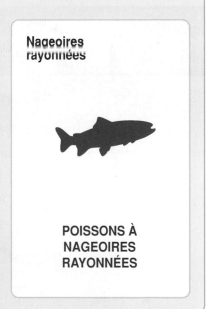

Nageoires rayonnées

POISSONS À NAGEOIRES RAYONNÉES

Activités

- Classe les animaux du document **1** et compare ton classement à celui de tes camarades. Que constates-tu ?
- Que représente le document **2** ?
- Sur le document **3**, pourquoi parle-t-on de disposition en « ensembles emboîtés » ?

Une belle « prise » : la découverte d'un os de dinosaure. Comment les géologues vont-ils faire parler ce fossile ?

Des questions, des échanges...

➡ As-tu déjà récolté des fossiles ? Où les as-tu trouvés ?

➡ Apporte en classe des fossiles afin de les collectionner avec ceux de tes camarades.

➡ À quel animal ou végétal actuel ces fossiles ressemblent-ils ?

➡ Cherche dans le dictionnaire la définition du mot « fossile ».

Le problème à résoudre

➡ Quelles informations les fossiles apportent-ils aux géologues ?

Les géologues font « parler » les fossiles

Doc 1 Les ammonites sont seulement connues à l'état fossile.

Actuellement, il n'existe plus d'ammonites vivantes et pourtant elles ont existé dans tous les océans du monde.

Ce groupe, apparu il y a 200 millions d'années, a complètement disparu il y a 65 millions d'années. Les géologues en ont décrit des milliers d'espèces qui diffèrent entre elles par leur taille, la forme et l'ornementation de leur coquille...

2 cm

Les ammonites

- Animaux apparentés à la seiche, au calmar.
- Font partie du groupe des mollusques.
- Ressemblent au nautile actuel.
- Mode de vie voisin de celui du nautile, nageant entre deux eaux ou rampant sur le fond.

Nautile actuel

Les reconstitutions des géologues

Doc 2 **Du fossile à la reconstitution.**

Tricératops

- **Groupe** : dinosaures
- **Âge** : neuf espèces de tricératops se sont succédé entre – 72 et – 65 millions d'années
- **Hauteur** : 4 m
- **Longueur** : 8 à 9 m
- **Poids** : 4,5 à 8 tonnes
- **Régime** : végétarien
- **Locomotion** : quadrupède

Grâce à des techniques complexes, les géologues savent dire à quel âge ont vécu les fossiles qu'ils découvrent.

Tricératops signifie « à trois cornes »

Doc 3 **Les ammonites et les dinosaures vivaient à la même époque.**

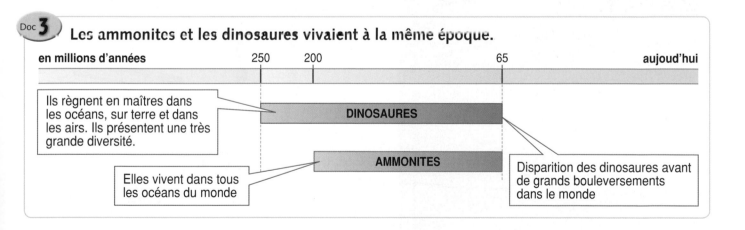

en millions d'années   250   200   65   aujoud'hui

Ils règnent en maîtres dans les océans, sur terre et dans les airs. Ils présentent une très grande diversité.

DINOSAURES

AMMONITES

Elles vivent dans tous les océans du monde

Disparition des dinosaures avant de grands bouleversements dans le monde

Activités

- En utilisant les exemples présentés ici, quelles parties de l'animal retrouve-t-on dans un fossile ?

- Qu'appelle-t-on une reconstitution ?

- Les géologues n'ont jamais vu de tricératops vivant. Pourtant ils dessinent leur silhouette, donnent des précisions sur leur taille, leur mode de locomotion… Comment font-ils ?

- Les géologues donnent aussi des précisions sur leur régime alimentaire. Où trouvent-ils ces informations ?

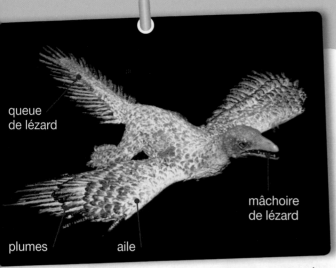

queue
de lézard

mâchoire
de lézard

plumes   aile

Voici la reconstitution de l'archéoptéryx, le plus ancien oiseau connu. Pourquoi le considère-t-on comme un oiseau ?

Des questions, des échanges...

➡ Que sais-tu sur les dinosaures ?

➡ Pourquoi ces animaux sont-ils si « célèbres » ?

➡ Connais-tu le nom de certains d'entre eux ?

Le problème à résoudre

➡ Comment les scientifiques interprètent-ils les ressemblances et les différences entre les espèces ?

Quels sont les ancêtres des oiseaux ?

Doc 1 L'archéoptéryx, connu par plusieurs fossiles remarquablement conservés, est un oiseau primitif qui possédait des ailes fonctionnelles.

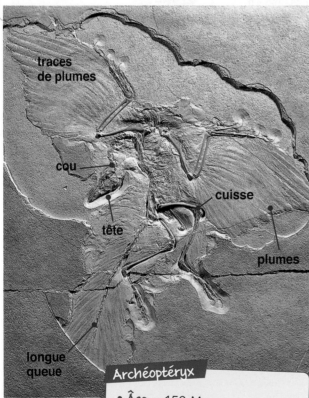

traces
de plumes

cou

tête

cuisse

plumes

longue
queue

Archéoptéryx

• **Âge** : 150 Ma

• **Taille** : celle d'un pigeon

• **Régime** : carnivore (insectes)

• **Locomotion** : grimpe aux arbres, se laisse tomber en vol plané et court sur deux pattes.

Ma :
millions d'années

Doc 2 Ce petit dinosaure bipède présente de nombreuses ressemblances avec les oiseaux, mais son corps est recouvert d'écailles.

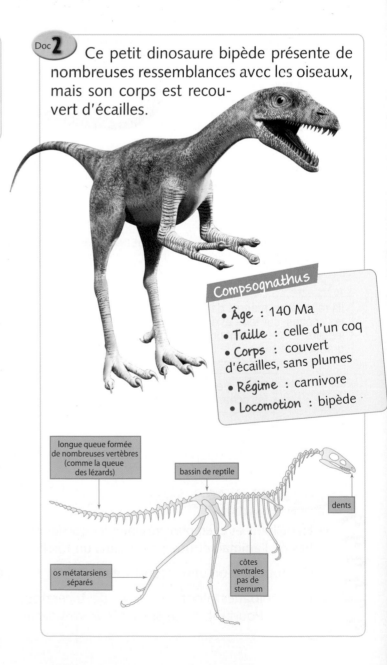

Compsognathus

• **Âge** : 140 Ma

• **Taille** : celle d'un coq

• **Corps** : couvert d'écailles, sans plumes

• **Régime** : carnivore

• **Locomotion** : bipède

longue queue formée
de nombreuses vertèbres
(comme la queue
des lézards)

bassin de reptile

dents

os métatarsiens
séparés

côtes
ventrales
pas de
sternum

Des liens de parenté entre les êtres vivants

Doc 3 **Incroyable ! Des dinosaures à plumes.**

Plusieurs fossiles ressemblant à celui-ci ont été récemment découverts. Ils présentent des traces de plumes mais ces animaux ne volaient probablement pas.

Les plumes, qui correspondraient à des écailles très modifiées, constituent une innovation de l'évolution, c'est-à-dire l'apparition d'un caractère nouveau.

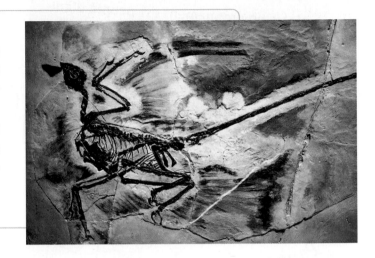

Doc 4 **Tous les êtres vivants ont une origine commune.**

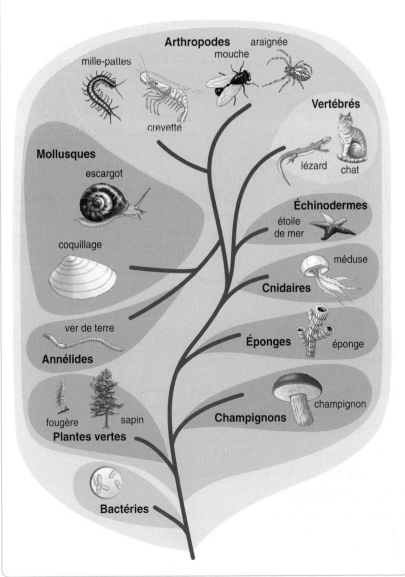

Les différents groupes d'êtres vivants présentent des liens de parenté.

Ils dérivent les uns des autres et ont tous une origine commune : sans doute des êtres très simples comparables aux bactéries actuelles et apparus sur Terre, il y a 3,8 à 4 milliards d'années.

Activités

- Quels caractères permettent de considérer l'archéoptéryx comme un oiseau (doc. **1**) ?

- Énumère les caractères de reptile que possède l'archéoptéryx.

- Que signifie cette affirmation : « Les oiseaux sont les descendants de certains dinosaures »?

- Pourquoi les géologues disent-ils que l'archéoptéryx est une « forme intermédiaire » ?

- Quels sont les ancêtres communs à tous les êtres vivants (doc. **4**)?

J'ai découvert

Pages 6-7

Les animaux de notre environnement

Notre environnement est peuplé d'animaux très variés. Chacun d'eux a des caractéristiques précises. Cependant, ces animaux possèdent en commun les caractéristiques des êtres vivants : ils naissent, grandissent, se nourrissent, se reproduisent et finissent par mourir.

Pages 8-9

La diversité des plantes chlorophylliennes

Comme celui des animaux, le monde des plantes présente une grande diversité. Les plus connues et celles qui ont le plus grand nombre d'espèces sont les plantes à fleurs. On peut les diviser en deux groupes : les arbres qui contiennent du bois et dont les tiges (tronc et branches) sont rigides et les plantes herbacées dont les tiges sont souples.

Pages 10-11

Ce qu'on appelle une espèce

• Pour distinguer les êtres vivants les uns des autres, les scientifiques regroupent au sein d'une même espèce des êtres vivants qui se ressemblent et qui peuvent se reproduire entre eux.

• À deux espèces qui se ressemblent, mais qui ne peuvent pas se reproduire entre elles, on donne le même nom de genre. Chaque espèce est ainsi désignée par deux mots dont le premier est le nom de genre et le second celui de l'espèce.

Pages 12-13

Ce qu'est la biodiversité

• La Terre est peuplée d'un très grand nombre d'êtres vivants. Beaucoup sont encore inconnus.

• La biodiversité du monde vivant, c'est la diversité des espèces :
– la diversité à l'intérieur d'une même espèce car chaque être vivant est unique,
– la diversité des milieux de vie (terrestres, d'eau douce ou marins), le milieu terrestre étant le plus riche en espèces différentes.

Pages 14-15

L'unité du monde vivant

• Le monde vivant désigne non seulement tous les êtres vivants (les animaux, les plantes, les hommes...) mais aussi tout ce qui provient des êtres vivants (une feuille morte, une plume d'oiseau, une coquille, un morceau de bois...).

• Malgré leur extraordinaire diversité, les êtres vivants présentent une très grande unité.

• D'abord, tous les êtres vivants passent par les mêmes étapes (naissance, croissance).

• D'autres caractères communs confirment cette unité :
– tous les êtres vivants construisent leur matière à partir des aliments puisés dans l'environnement,
– tous les êtres vivants sont formés des mêmes constituants chimiques,
– tous les êtres vivants sont formés de cellules.

Pages 16-17

L'interprétation des ressemblances et des différences

• Un chien, un poisson, un oiseau… se ressemblent peu. Cependant, lorsqu'on regarde leur squelette, on découvre des points communs : une colonne vertébrale, un crâne, des membres… Le squelette de ces animaux présente donc le même plan d'organisation.

• À première vue, le bras d'un homme, l'aile d'un oiseau ou celle d'une chauve-souris ne se ressemblent guère. Cependant leur squelette présente d'étonnantes ressemblances. On dit que ces membres ont le même plan d'organisation.

Tout ceci traduit une parenté entre ces groupes de vertébrés.

Pages 20-21

Les fossiles sont les archives de la vie

• À des époques plus ou moins lointaines, vivaient des êtres qui ont maintenant disparu. On connaît leur existence grâce aux fossiles.

• À partir des fossiles, les géologues peuvent préciser à quelle époque ils ont vécu et reconstituer tout l'environnement dans lequel ils vivaient.

Pages 18-19

Les principes généraux de la classification

• La diversité du monde vivant est étonnante. Dans ce vaste ensemble, la classification introduit un certain ordre en réunissant dans des groupes de plus en plus restreints les espèces qui ont des caractères communs.

• Cette classification est un classement commun à tous les scientifiques. Elle se fonde sur des critères précis. On regroupe les êtres vivants en fonction des caractères qui leur sont communs (par exemple présence d'une colonne vertébrale, de poils, de plumes…).

• Dans la présentation en « ensembles emboîtés », chaque rectangle d'une boîte est un groupe défini par un caractère commun.

Pages 22-23

La parenté entre les groupes et les espèces

• Les ressemblances entre les squelettes des membres des vertébrés ont fait naître l'idée d'une parenté entre les différents groupes de vertébrés et donc celle d'ancêtres communs.

• Cette idée est confirmée par la découverte chez les fossiles de « formes intermédiaires ».

• Ainsi, l'archéoptéryx, moitié oiseau et moitié reptile, permet de dire que les reptiles et les oiseaux ont des ancêtres communs.

• Les « filiations » entre espèces et entre groupes permettent de construire un « arbre d'évolution » du monde vivant. Tous les êtres vivants auraient une origine commune, sans doute des organismes très simples apparus sur la Terre, il y a 4 milliards d'années environ.

J'utilise mes connaissances et mes compétences

1 Mots croisés

1. Animaux dont les femelles allaitent leurs petits.
2. Jeune animal qui ne ressemble pas à ses parents.
3. Se dit d'un animal dont la femelle pond des œufs.
4. Nourrir ses petits avec le lait de ses mamelles.
5. Se dit d'un animal dont les petits sortent vivants du ventre de leur mère.
6. Changement de forme se produisant chez certains animaux au cours de leur croissance.
7. Caractérise un animal capable de se reproduire.

Compétence : Comprendre des définitions.

2 À la recherche des ressemblances

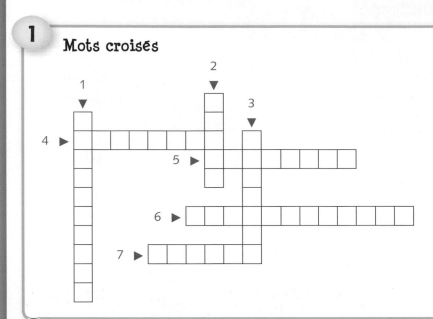

l'homme   le loup   le cerf

1. Décalque le dessin du membre postérieur humain puis colorie les os du bassin en jaune, l'os de la cuisse en vert, les os de la jambe en rouge, les os du pied en bleu.

2. Décalque ensuite les deux autres dessins et utilise les mêmes couleurs.

3. Sur tes dessins, indique l'emplacement des articulations : hanche, genou, cheville.

4. Les membres de ces animaux ont-ils le même plan d'organisation ?
Comment peut-on l'expliquer ?

Compétence : Comparer des dessins, faire apparaître les ressemblances par coloriage.

Le fonctionnement du vivant

On distingue 165 000 espèces de papillons : des petits, des grands, des moyens. Un petit papillon continue-t-il de grandir ?

Des questions, des échanges...

➥ Un petit chat qui vient de naître ressemble déjà à ses parents. Ce n'est pas le cas de tous les animaux. Cite des exemples que tu connais.

➥ Sais-tu ce que devient une chenille au cours de sa vie ?

➥ Connais-tu le sens des mots : larve, nymphe, méta-morphose ?

Le problème à résoudre

➥ Quels sont les stades du développement chez un ani-mal présentant des métamorphoses ?

Le cycle de vie d'un papillon

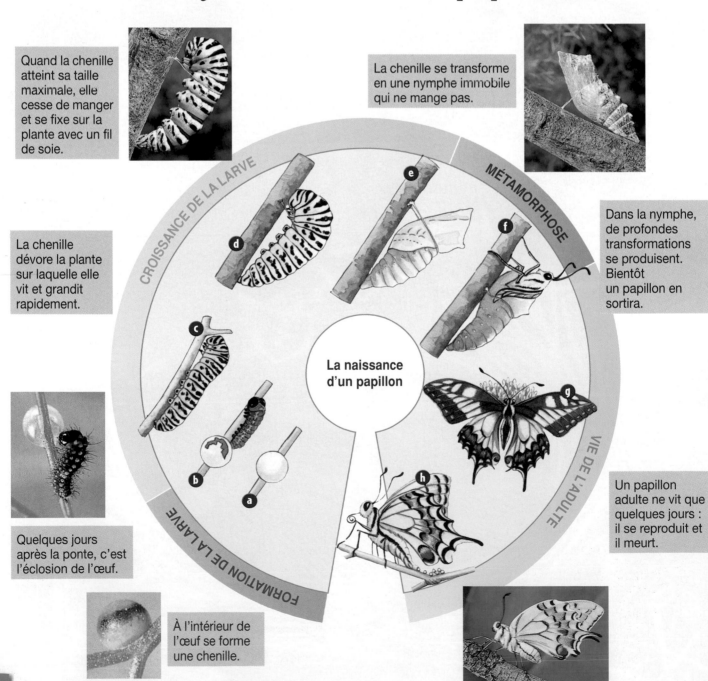

Quand la chenille atteint sa taille maximale, elle cesse de manger et se fixe sur la plante avec un fil de soie.

La chenille se transforme en une nymphe immobile qui ne mange pas.

CROISSANCE DE LA LARVE

MÉTAMORPHOSE

Dans la nymphe, de profondes transformations se produisent. Bientôt un papillon en sortira.

La chenille dévore la plante sur laquelle elle vit et grandit rapidement.

La naissance d'un papillon

VIE DE L'ADULTE

Quelques jours après la ponte, c'est l'éclosion de l'œuf.

FORMATION DE LA LARVE

Un papillon adulte ne vit que quelques jours : il se reproduit et il meurt.

À l'intérieur de l'œuf se forme une chenille.

Le cyle de vie d'une coccinelle

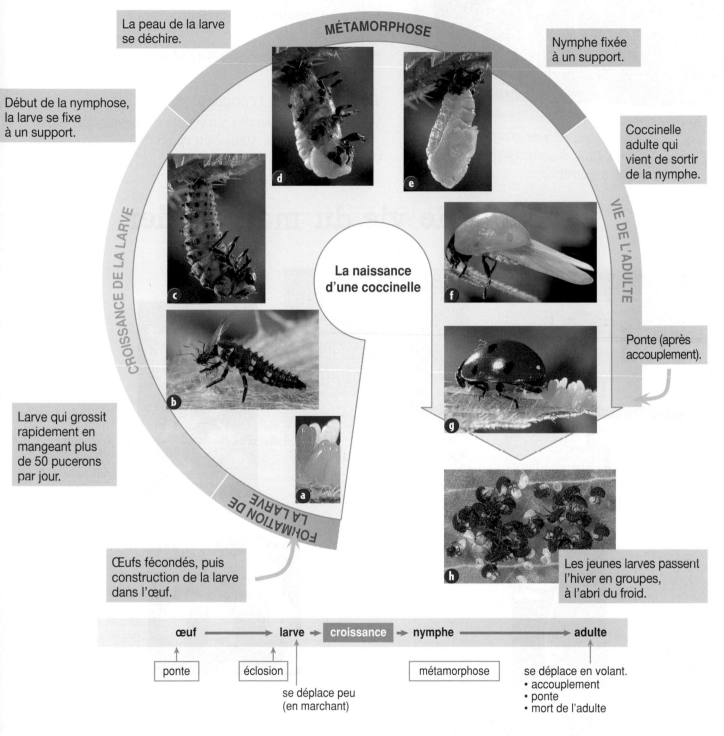

La peau de la larve se déchire.

MÉTAMORPHOSE

Nymphe fixée à un support.

Début de la nymphose, la larve se fixe à un support.

Coccinelle adulte qui vient de sortir de la nymphe.

CROISSANCE DE LA LARVE

VIE DE L'ADULTE

La naissance d'une coccinelle

Ponte (après accouplement).

Larve qui grossit rapidement en mangeant plus de 50 pucerons par jour.

FORMATION DE LA LARVE

Œufs fécondés, puis construction de la larve dans l'œuf.

Les jeunes larves passent l'hiver en groupes, à l'abri du froid.

œuf → larve → croissance → nymphe → adulte

ponte | éclosion | métamorphose | se déplace en volant.
• accouplement
• ponte
• mort de l'adulte

se déplace peu (en marchant)

Activités

- Que devient une chenille en grandissant ?
- En utilisant les mots chenille, œuf, nymphe, papillon dans le bon ordre, décris les étapes du développement d'un papillon.
- Un papillon peut-il encore grandir ?
- Le développement d'une coccinelle présente-t-il les mêmes étapes que celui d'un papillon ?
- Pourquoi dit-on que ces animaux ont un développement avec métamorphose ?

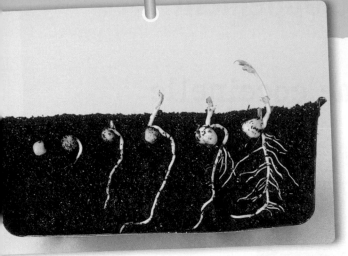

Il y a dans chaque graine une plante miniature appelée embryon. Que devient l'embryon quand on met la graine à germer ?

Des questions, des échanges...

➡ Quel phénomène fondamental est à l'origine d'un nouvel être vivant ?

➡ Quand commence la vie d'un animal ? et celle d'une plante ?

➡ Qu'est-ce que la croissance ? Qu'est-ce que la reproduction ?

Le problème à résoudre

➡ Quels sont les stades successifs du développement d'un être vivant, animal ou végétal ?

Le cycle de vie du marronnier

Doc 1

d Au printemps suivant, l'arbre se couvre de feuilles nouvelles.

e À partir de l'âge de 10 ans, chaque année, le marronnier se couvre de fleurs.

c Le marronnier grandit. Chaque année, à l'automne, il perd ses feuilles.

f Les fleurs donnent des fruits épineux qui contiennent des graines, les marrons.

b Le jeune marronnier a ses premières feuilles.

g Chaque année, l'arbre continue à assurer sa reproduction.

a Un marron tombé de l'arbre à l'automne germe au printemps suivant.

h Un marronnier peut vivre 200 ans. Comme tout être vivant, il vieillit et meurt.

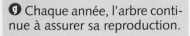

Des étapes de la vie à comparer

Doc **2**   **La vie d'un faisan.**

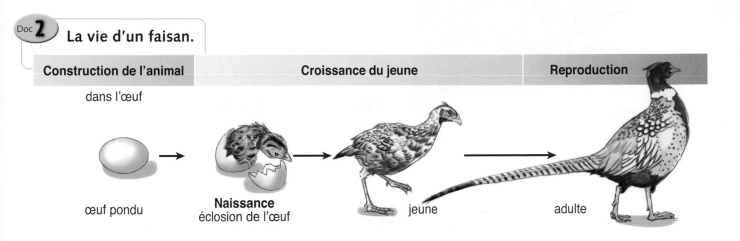

Construction de l'animal	Croissance du jeune	Reproduction

dans l'œuf

œuf pondu — **Naissance** éclosion de l'œuf — jeune — adulte

Doc **3**   **La vie d'un papillon.**

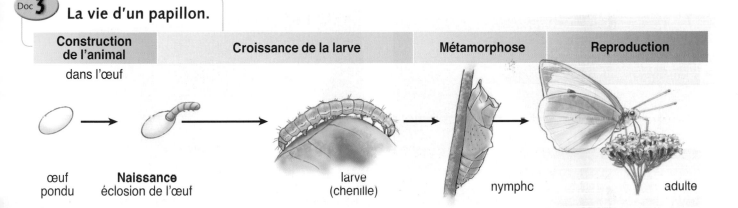

Construction de l'animal	Croissance de la larve	Métamorphose	Reproduction

dans l'œuf

œuf pondu — **Naissance** éclosion de l'œuf — larve (chenille) — nymphc — adulte

Doc **4**   **La vie d'un rat.**

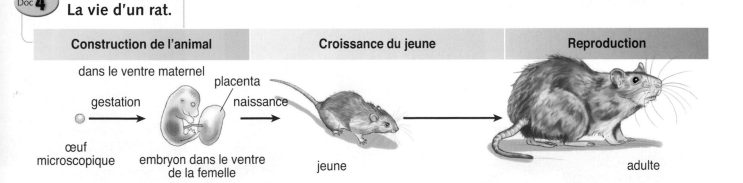

Construction de l'animal	Croissance du jeune	Reproduction

dans le ventre maternel

gestation — placenta — naissance

œuf microscopique — embryon dans le ventre de la femelle — jeune — adulte

Activités

- Quels stades de développement retrouve-t-on chez tous les êtres vivants ?
- Énumère les différences entre les trois exemples présentés sur les documents **2**, **3**, et **4**.
- La croissance est un stade important du développement d'un être vivant. Se poursuit-elle pendant toute la vie ?
- Quand dit-on qu'un être vivant est adulte ?
- Tout être vivant meurt mais un stade de sa vie permet la survie de l'espèce. De quel stade s'agit-il ?

Ton chat se nourrit-il ainsi tous les jours ? Que lui donnes-tu à manger habituellement ?

Des questions, des échanges...

➥ Que mangent les animaux de ton entourage (chat, chien, poisson rouge, cochon d'Inde, canari...). Que constates-tu ?

➥ Renseigne-toi sur ce que mangent les animaux de la basse-cour, de la ferme...

➥ Sais-tu ce qu'on appelle un régime alimentaire ?

Le problème à résoudre

➥ Les animaux ont-ils des régimes alimentaires différents ? Quels points communs y a-t-il malgré tout ?

Que mangent les animaux dans la nature ?

Doc **1**

Les mangeurs
- couleuvre
- chouette
- écureuil
- mésange
- mulot
- sanglier

Les mangés
- graines de pin
- herbe
- grenouille
- mulot
- larve d'insecte

Une grande diversité de régimes alimentaires

Doc 2 À chacun son menu.

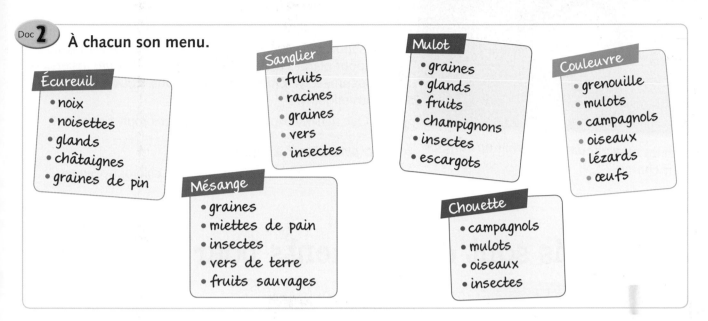

Écureuil
- noix
- noisettes
- glands
- châtaignes
- graines de pin

Sanglier
- fruits
- racines
- graines
- vers
- insectes

Mulot
- graines
- glands
- fruits
- champignons
- insectes
- escargots

Couleuvre
- grenouille
- mulots
- campagnols
- oiseaux
- lézards
- œufs

Mésange
- graines
- miettes de pain
- insectes
- vers de terre
- fruits sauvages

Chouette
- campagnols
- mulots
- oiseaux
- insectes

Doc 3 À quoi servent les aliments ?

Les aliments servent à **construire de la nouvelle matière** donc à grandir, à réparer ce qui est usé… Ils fournissent aussi **l'énergie** nécessaire à toutes les fonctions de la vie et en particulier aux déplacements.

Combien de petits becs ouverts ? C'est l'heure de pointe !
Pendant 20 jours, les parents mésanges apportent 800 repas par jour. Une dépense d'énergie considérable pour assurer la survie de l'espèce.

Activités

- Pourquoi dit-on que l'écureuil est végétarien et la chouette carnivore ? Pourquoi dit-on que la coccinelle a un régime alimentaire strict et l'écureuil un régime alimentaire varié ?

- En utilisant les menus présentés au document **2** fais la liste des animaux végétariens, des animaux carnivores, des animaux omnivores. Justifie ta réponse.

- Que t'apprend le document **3** sur le rôle des aliments ?

Pourquoi les agriculteurs mettent-ils de l'engrais dans leur champ ?

Des questions, des échanges…

➡ En été, le jardinier arrose ses plantes. D'après toi pour quelle raison ?

➡ L'eau est-elle un aliment pour les plantes ?

➡ Apporte en classe des emballages d'engrais divers (pour plantes d'appartement, plante fleurie, rosiers, légumes…). Quelles informations trouve-t-on sur les étiquettes ?

➡ Que signifie l'expression « plantes chlorophylliennes » ?

Le problème à résoudre

➡ Quels sont les aliments des plantes chlorophylliennes ?

Les engrais sont des aliments pour les plantes

Doc 1 **Qu'est-ce qu'un engrais ?**

Pour obtenir de meilleures récoltes, les jardiniers et les agriculteurs arrosent leurs cultures et répandent des engrais.

Les engrais contiennent des substances minérales qui sont des aliments pour les plantes. La dose fournie doit être suffisante pour une bonne récolte mais ne doit pas être en excès.

Doc 2 **Une expérience à interpréter.**

De jeunes pieds de maïs sont cultivés dans deux pots identiques, remplis de sable fin.

Les deux pots sont arrosés régulièrement mais de manière différente.

– Le **pot 1** est arrosé avec de l'eau pure, sans substances minérales (eau déminéralisée).

– Le **pot 2** est arrosé avec un liquide nutritif contenant des substances minérales.

Au début de l'expérience

Trente jours plus tard

Eau et substances minérales ne suffisent pas

Doc 3   **Des cultures sur solution nutritive.**

solution nutritive

racines

On cultive des tomates, des laitues, des concombres, des épinards, des poivrons, des aubergines sur des solutions nutritives dans lesquelles plongent les racines.

Les solutions employées sont constituées d'un mélange d'eau et de sels minéraux dont le dosage est adapté à chaque type de culture.

Doc 4   **Un aliment invisible mais indispensable : le dioxyde de carbone de l'air.**

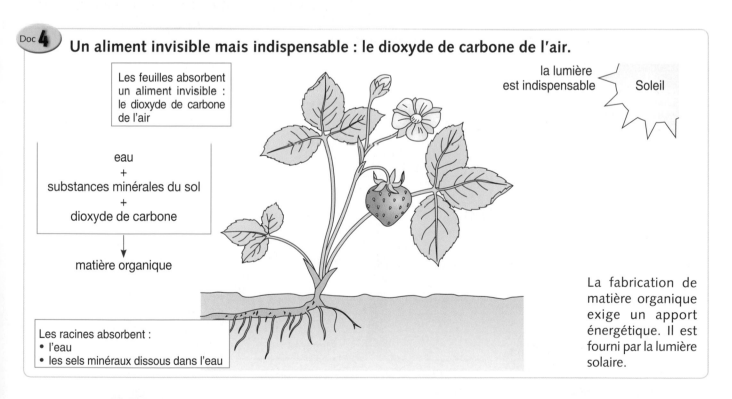

Les feuilles absorbent un aliment invisible : le dioxyde de carbone de l'air

eau
+
substances minérales du sol
+
dioxyde de carbone

matière organique

Les racines absorbent :
• l'eau
• les sels minéraux dissous dans l'eau

la lumière est indispensable   Soleil

La fabrication de matière organique exige un apport énergétique. Il est fourni par la lumière solaire.

Activités

● Pourquoi les jardiniers et les agriculteurs mettent-ils des engrais dans leurs cultures ?

● Les substances minérales sont-elles indispensables à la vie des plantes ? Pour répondre, analyse l'expérience du document **2**.

● Comment les pieds de salades puisent-ils leurs aliments (doc. **3**) ?

● Quels aliments sont-ils nécessaires au fraisier (doc. **4**) ?

Quels êtres vivants vois-tu sur cette photographie ? Continueraient-ils à vivre s'il n'y avait plus de soleil ?

Des questions, des échanges...

➡ Tu sais que les plantes chlorophylliennes et les animaux ne se nourrissent pas de la même façon. Énumère les différences.

➡ Qu'est-ce que la chlorophylle ?

➡ D'après toi, le Soleil est-il indispensable aux êtres vivants ?

Le problème à résoudre

➡ Explique pourquoi la vie sur la Terre dépend des plantes chlorophylliennes et de la lumière du Soleil.

Les plantes chlorophylliennes fabriquent leur matière organique

Doc **1** Qu'est-ce que la photosynthèse ?

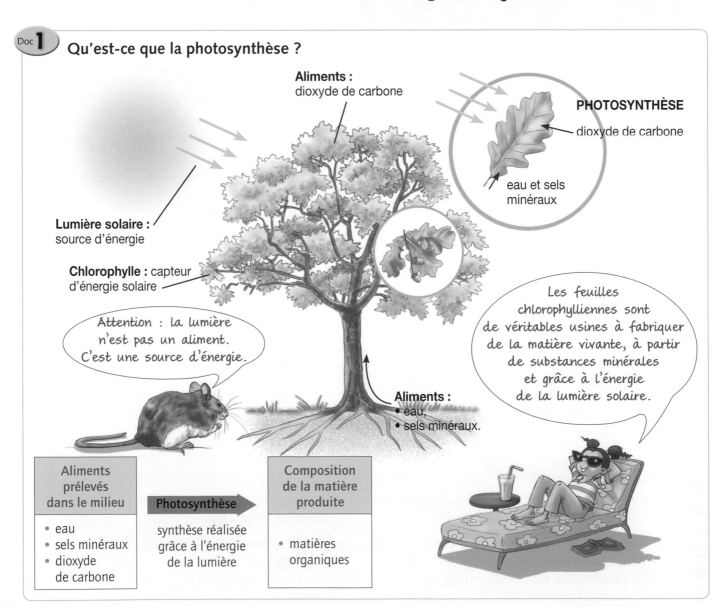

Aliments : dioxyde de carbone

Lumière solaire : source d'énergie

Chlorophylle : capteur d'énergie solaire

Attention : la lumière n'est pas un aliment. C'est une source d'énergie.

PHOTOSYNTHÈSE
dioxyde de carbone
eau et sels minéraux

Les feuilles chlorophylliennes sont de véritables usines à fabriquer de la matière vivante, à partir de substances minérales et grâce à l'énergie de la lumière solaire.

Aliments :
• eau,
• sels minéraux.

Aliments prélevés dans le milieu	Photosynthèse	Composition de la matière produite
• eau • sels minéraux • dioxyde de carbone	synthèse réalisée grâce à l'énergie de la lumière	• matières organiques

Le mouton et l'herbe ont la même composition chimique

Doc 2 Les besoins alimentaires des végétaux chlorophylliens et ceux des animaux ne sont pas du tout les mêmes. Ils fabriquent pourtant, les uns et les autres, la même matière organique à partir de leurs aliments.

être vivant non chlorophyllien

être vivant chlorophyllien

	Aliments prélevés dans le milieu	Composition chimique des aliments	Composition de la matière produite
Végétaux chlorophylliens	uniquement des aliments minéraux	• eau • sels minéraux • dioxyde de carbone	matière organique
Animaux	des animaux des végétaux	matière organique	matière organique
Champignons	feuilles mortes, bois en cours de décomposition	matière organique	matière organique
Bactéries	feuilles mortes en décomposition	matière organique	matière organique

Doc 3 Au cours de la photosynthèse, les plantes vertes absorbent du dioxyde de carbone et rejettent de l'oxygène.

bulles de dioxygène

Plante aquatique

Activités

● En analysant le document **1**, indique à partir de quels matériaux les plantes chlorophylliennes fabriquent leur matière organique.

● S'il n'y avait pas de plantes chlorophylliennes, les animaux pourraient-ils vivre ?

● On dit parfois que les forêts sont « les poumons » de la planète. Que signifie cette expression ?

● Pourquoi peut-on dire que toute la vie sur la Terre dépend du Soleil et des plantes contenant de la chlorophylle ?

J'ai découvert

Pages 28-29

Les changements de vie

• À la naissance, certains animaux ne ressemblent pas à leurs parents. Au cours de leur croissance, ils connaissent des modifications importantes de forme et de mode de vie. On dit que leur développement présente des métamorphoses.

• On donne le nom de larve à un jeune animal dont l'aspect est très différent de celui des adultes. Les larves se transforment en nymphes avant de devenir adultes.

Pages 30-31

Les étapes du développement

• La construction du nouvel être vivant débute dans l'œuf.

• La croissance ne se poursuit pas pendant toute la vie.

• Parvenu au stade adulte, l'être vivant se reproduit et ainsi, avant sa mort, il assure la survie de l'espèce.

Pages 32-33

Les animaux ne peuvent pas vivre sans manger

• Pour vivre, tous les animaux ont besoin de manger et de boire ; ils n'ont pas tous le même régime alimentaire. Certains mangent des végétaux, d'autres des animaux. D'autres encore mangent à la fois les deux types d'aliments : ce sont des omnivores. En réalité, quel que soit le régime, tous les animaux mangent la même chose : de la matière organique en mangeant d'autres êtres vivants.

• Les aliments servent à construire de la nouvelle matière vivante et à fournir l'énergie nécessaire à toutes les fonctions vitales, par exemple effectuer des mouvements.

Pages 34-35

Comment se nourrissent les plantes chlorophylliennes

• Les plantes chlorophylliennes ont des besoins alimentaires très différents de ceux des animaux : elles ne « mangent » pas d'autres êtres vivants.

• Pour se nourrir, ces plantes puisent dans la terre l'eau et les sels minéraux qu'elles absorbent grâce à leurs feuilles.

• Ainsi, à partir de matière uniquement minérale, elles fabriquent leur propre matière organique grâce à l'énergie fournie par la lumière du Soleil et captée par la chlorophylle.

Pages 36-37

L'importance du Soleil et de la chlorophylle

• Notre environnement présente deux composantes : le monde non vivant constitué de substances minérales et le monde vivant constitué de substances organiques.

• Pour fabriquer la matière organique qui les constitue, les animaux utilisent la matière organique des autres êtres vivants (plantes ou animaux) dont ils se nourrissent.

• Les plantes chlorophylliennes fabriquent leur matière organique à partir de substances minérales (eau, sels minéraux, dioxyde de carbone) qu'elles puisent dans leur environnement.

• Cette fabrication est possible grâce à l'énergie du Soleil captée par la chlorophylle.

J'utilise mes connaissances et mes compétences

1 La vie d'un cerisier

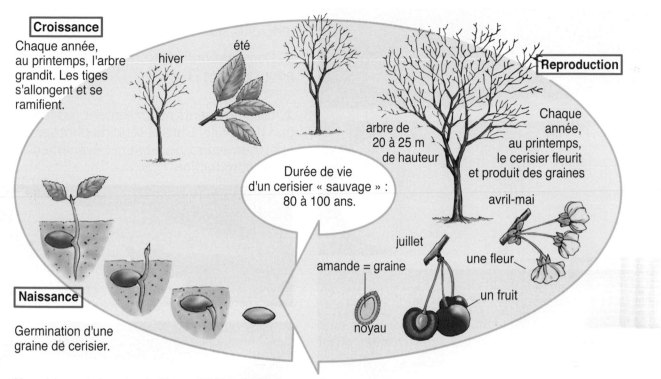

Croissance

Chaque année, au printemps, l'arbre grandit. Les tiges s'allongent et se ramifient.

hiver   été

Reproduction

arbre de 20 à 25 m de hauteur

Chaque année, au printemps, le cerisier fleurit et produit des graines

avril-mai

Durée de vie d'un cerisier « sauvage » : 80 à 100 ans.

juillet

une fleur

amande = graine

un fruit

noyau

Naissance

Germination d'une graine de cerisier.

Un cerisier peut vivre plus de 80 ans. Il finit cependant par mourir.

1. Sur une frise chronologique représentant la vie d'un cerisier, place les informations données sur le dessin.

2. Pourquoi dit-on que les arbres sont des plantes vivaces ? Pour répondre, cherche le sens de ce mot dans le dictionnaire.

3. Cite dans l'ordre les grandes étapes de la vie d'un être vivant.

Compétences : Comprendre un dessin et en tirer des informations, établir une chronologie.

2 De quoi se nourrissent les plantes vertes ?

Pour comprendre quels sont les aliments des plantes, des élèves ont cultivé des pieds de maïs dans différentes conditions présentées ci-dessous :

1. Eau pure
2. Terreau arrosé
3. Eau + sels minéraux
4. Terreau desséché
5. Terreau arrosé et air sans dioxyde de carbone
6. Eau + sels minéraux

De 1 à 5 les plantes sont normalement éclairées.
En 6 les plantes sont placées sous un cache noir.

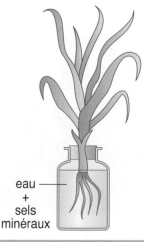

eau + sels minéraux

1. Dans quels pots les pieds de maïs vont-ils se développer ? Justifie ta réponse.

2. Pourquoi dans les autres pots les pieds de maïs ne se développent-ils pas ?

3. Énumère les différents besoins alimentaires des plantes chlorophylliennes.

Compétences : Analyser des expériences, en dégager des conclusions générales.

J'utilise mes connaissances et mes compétences

3 La naissance d'une truite

Les photographies présentent, dans le désordre, différents stades de la naissance d'une truite.

1. Dans quel ordre placerais-tu ces photographies pour raconter l'histoire ? Donne un titre à chacune d'elles.

2. Les documents ne présentent pas la fécondation de l'ovule. Dans la série de photographies, à quel moment se placerait cet événement capital de la reproduction ?

Compétences : Interpréter des photographies, établir une chronologie.

4 Une étape de la reproduction

1. Que représente cette photographie ?

2. Quelle sera l'étape suivante ?

3. Quelle étape importante du cycle de vie montre-t-elle ?

4. Précise la différence entre accouplement et fécondation.

Compétences : Comprendre une photographie, mobiliser ses connaissances dans une situation nouvelle.

5 Le cycle de vie de la poule

La poule pond

La poulette devient une poule

La poule couve ses œufs

Le poussin devient une poulette

Un poussin sort de l'œuf

1. Écris ces étiquettes et numérote-les dans l'ordre.

2. Place-les de manière à représenter le cycle de vie de l'animal.

Compétences : Établir une chronologie.

Le fonctionnement du corps humain et la santé

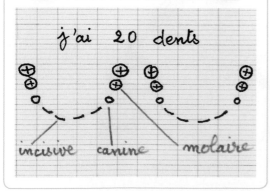

Décalque cette photographie et colorie différemment les incisives, les canines et les molaires.

Combien as-tu de dents ?

Doc 1 — Combien a-t-il de dents ? Ont-elles toutes la même forme ?

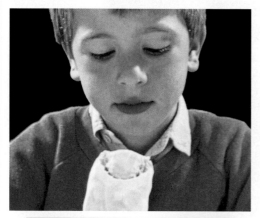

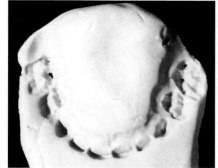

Doc 2 — Qu'est-ce qu'une dent de lait ?

À la naissance, un bébé n'a pas de dents. Les premières dents apparaissent vers 6 à 7 mois et, à l'âge de 2 ans, un enfant possède 20 dents de lait.

À partir de 7 ans environ, et jusqu'à 12 ans, les dents de lait tombent et sont remplacées par des dents définitives que l'on conserve toute la vie.

À quel âge sortent les dents définitives ?

6 à 8 ans
7 à 9 ans
10 à 11 ans
9 à 11 ans — incisives
— canine
11 à 12 ans
6 à 7 ans — molaires
12 à 13 ans
17 à 21 ans — adulte

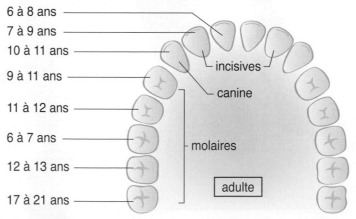

Les dents sont des organes vivants

Des radiographies de dents.

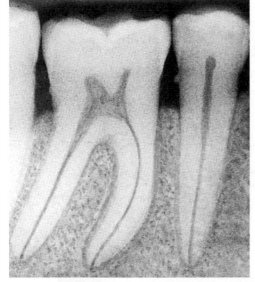

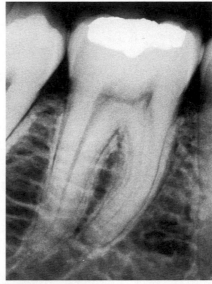

ⓐ **Dents en bonne santé**

ⓑ **Dent cariée**

Comment se font les caries ?

À la surface de chacune de tes dents vivent des milliers d'êtres vivants microscopiques.

Ce sont des **bactéries** qui se nourrissent des restes d'aliments (notamment des sucres) qu'elles transforment en acide.

Cet acide attaque la surface des dents et fait des « trous » : ce sont les **caries**.

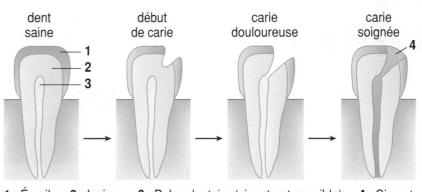

1 : Émail.   2 : Ivoire.   3 : Pulpe dentaire (vivante et sensible).   4 : Ciment.

Activités

- Combien as-tu de dents ? Comment faire pour le savoir ?

- En mordant dans une galette de pâte à modeler bien propre, tu obtiens les empreintes de tes dents (doc. ①). Toutes les dents n'ont pas la même forme. Combien de sortes de dents as-tu ?

- Décalque la photographie du document ③ ⓐ et indique les légendes : racine, couronne, émail, ivoire, pulpe dentaire.

- Qu'est-ce qu'une carie ?

- Pourquoi doit-on se laver les dents ?

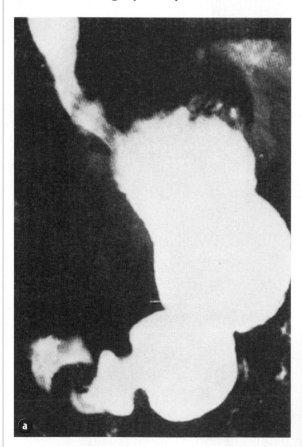

Que montrent ces dessins ? D'après toi, sont-ils exacts ?

Des questions, des échanges...

➡ Si l'on te demandait de dessiner où vont les aliments que tu manges et l'eau que tu bois, quel dessin ferais-tu ?

➡ Comment peut-on connaître le trajet des aliments dans le corps ?

➡ Connais-tu les mots estomac, intestin, œsophage ?

Le problème à résoudre

➡ Quel est le chemin suivi par les aliments qui pénètrent dans le corps ?

Des radiographies du tube digestif

Doc **1** Les radiographies permettent de « voir » le tube digestif.

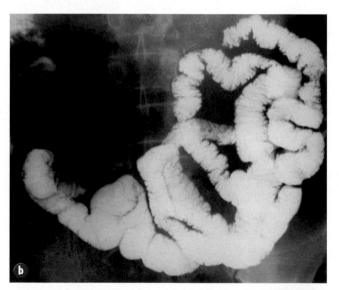

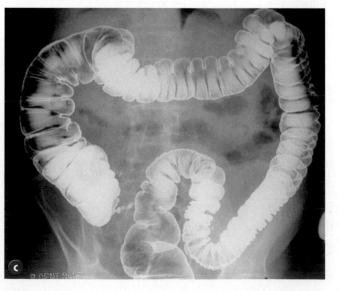

a estomac

b intestin grêle

c gros intestin

Un tube de plus de 8 mètres de longueur

Doc 2   **Une maquette du Palais de la Découverte, à Paris.**

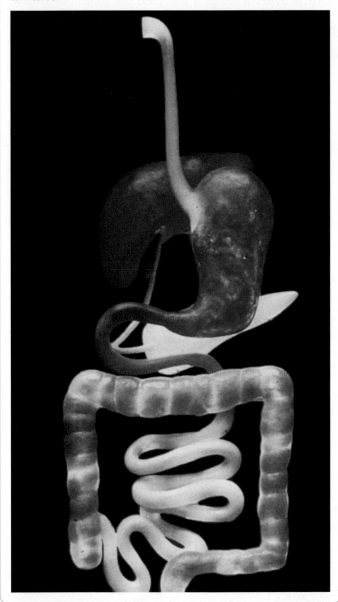

Doc 3   **Qu'appelle-t-on « appareil » digestif ?**

L'appareil digestif comprend le tube digestif (œsophage, estomac, intestin) et les glandes digestives (glandes salivaires, foie, pancréas…).

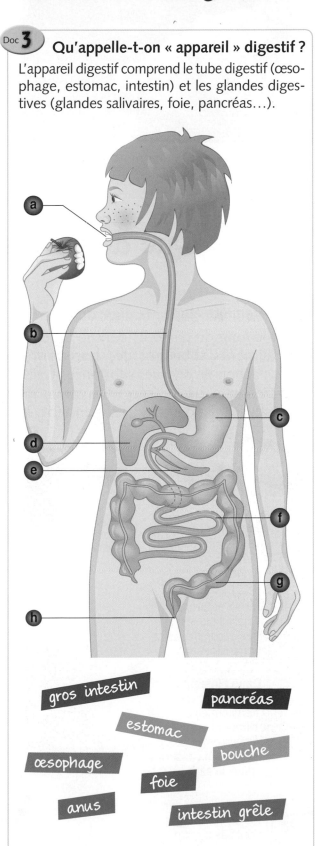

gros intestin

pancréas

estomac

bouche

œsophage

foie

anus

intestin grêle

Activités

- Décalque les radiographies du document ❶ en simplifiant si nécessaire. Place ensuite tes dessins dans l'ordre qui convient pour reconstituer le tube digestif.

- Associe une étiquette à chaque numéro du dessin du document ❸.

- Pourquoi parle-t-on de « tube » digestif pour désigner le trajet suivi par les aliments ?

Des questions, des échanges...

➡ D'après toi, que deviennent les aliments que tu manges ?

➡ Tu sais que les aliments servent à « nourrir » tous les organes de ton corps. Comment un morceau de viande arrive-t-il jusqu'à ton pied par exemple ?

Le problème à résoudre

➡ Qu'appelle-t-on « digestion » ?

Que fais-tu avant d'avaler un morceau de viande ou un morceau de pomme ?

Que deviennent les aliments ?

Doc 1 — **Première étape : la digestion.**

Tout le long du parcours dans le tube digestif, les aliments subissent des **transformations** sous l'action de diverses substances (salive, suc pancréatique, bile…) sécrétées par les **glandes digestives** (glandes salivaires, pancréas, foie…).

Ainsi, au cours de leur trajet dans le tube digestif, les aliments sont progressivement transformés en nutriments de plus en plus simples.

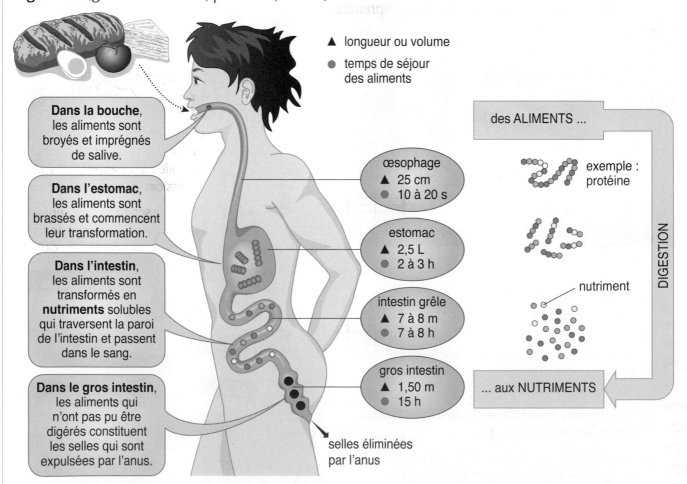

▲ longueur ou volume

● temps de séjour des aliments

Dans la bouche, les aliments sont broyés et imprégnés de salive.

Dans l'estomac, les aliments sont brassés et commencent leur transformation.

Dans l'intestin, les aliments sont transformés en **nutriments** solubles qui traversent la paroi de l'intestin et passent dans le sang.

Dans le gros intestin, les aliments qui n'ont pas pu être digérés constituent les selles qui sont expulsées par l'anus.

œsophage
▲ 25 cm
● 10 à 20 s

estomac
▲ 2,5 L
● 2 à 3 h

intestin grêle
▲ 7 à 8 m
● 7 à 8 h

gros intestin
▲ 1,50 m
● 15 h

selles éliminées par l'anus

des ALIMENTS ...

exemple : protéine

nutriment

... aux NUTRIMENTS

DIGESTION

L'absorption des nutriments

Doc 2 Deuxième étape : les nutriments passent dans le sang.

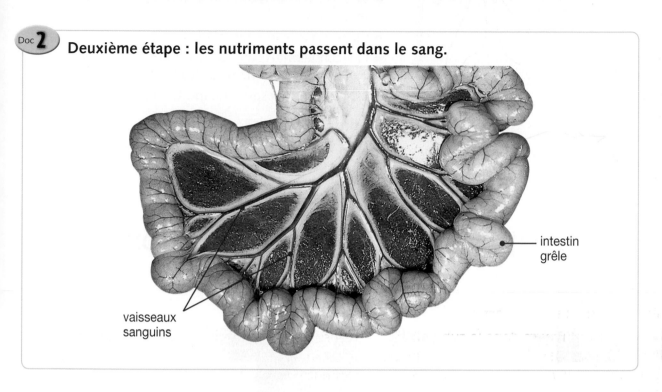

intestin grêle

vaisseaux sanguins

Doc 3 Une expérience simple pour mieux comprendre ce qu'est la digestion.

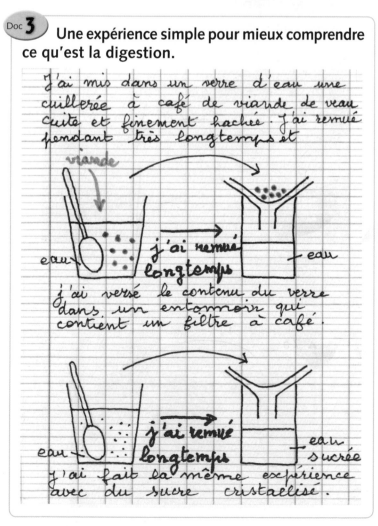

J'ai mis dans un verre d'eau une cuillerée à café de viande de veau cuite et finement hachée. J'ai remué pendant très longtemps et

viande

eau

j'ai remué longtemps

eau

j'ai versé le contenu du verre dans un entonnoir qui contient un filtre à café.

eau

j'ai remué longtemps

eau sucrée

j'ai fait la même expérience avec du sucre cristallisé.

Activités

● Quelle est la durée totale du passage des aliments dans le tube digestif entre l'arrivée dans la bouche et l'élimination des selles par l'anus ? La vitesse de progression est-elle constante ?

● Après avoir observé le document **1**, raconte l'histoire d'un morceau de viande que tu as mis dans ta bouche.

● Que montre l'expérience du document **3** ? La viande est-elle soluble dans l'eau ?

● La digestion n'est pas un simple broyage des aliments. Comment pourrais-tu la définir ?

● Pourquoi la richesse en vaisseaux sanguins au niveau de l'intestin est-elle importante (doc. **2**) ?

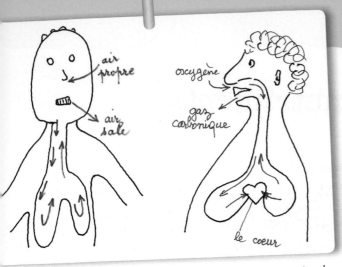

Que représentent ces dessins ? Que penses-tu de cette représentation ? Ferais-tu la même ?

Des questions, des échanges...

➡ Recherche le sens des mots : inspiration, expiration, respiration.

➡ Qu'appelle-t-on « mouvements respiratoires » ?

➡ Que constates-tu quand tu inspires ? et quand tu expires ? Tu peux aussi observer un de tes camarades.

➡ Est -ce que tu respires quand tu dors ?

Le problème à résoudre

➡ Dans quel organe va l'air que tu inspires ?

Tu respires même quand tu dors

Doc 1 **Fin d'inspiration, fin d'expiration ?**

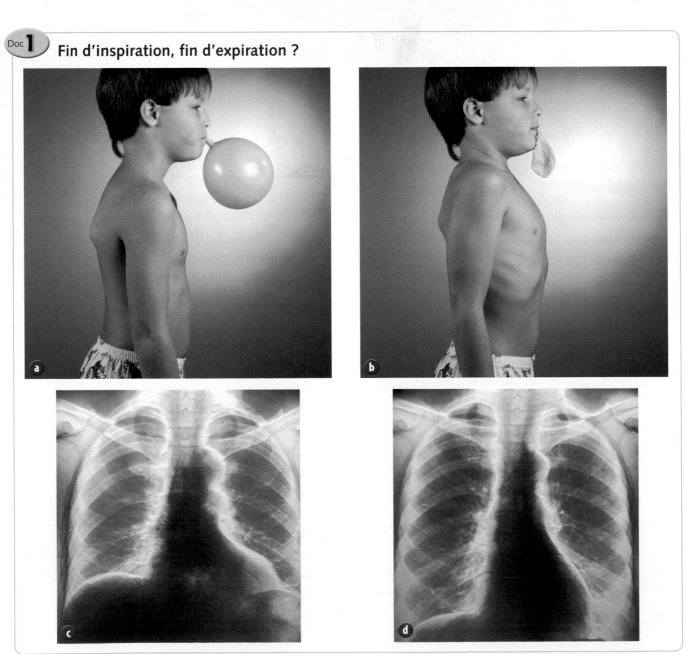

Découvre ton appareil respiratoire

Doc 2

La radiographie permet de suivre le trajet suivi par l'air.

Cette radiographie a été réalisée après avoir fait respirer au patient un produit rendant opaques les tubes qui conduisent l'air dans les différentes parties du poumon.

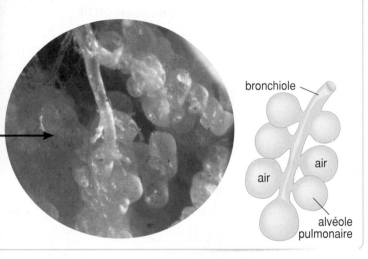

bronchiole
air
air
alvéole pulmonaire

Des nombres surprenants

On évalue à 700 millions le nombre des alvéoles pour les deux poumons et à 2 000 m² environ la surface de l'ensemble de ces alvéoles (soit la surface de la moitié d'un terrain de football).

Doc 3

Deux poumons et 700 millions d'alvéoles.

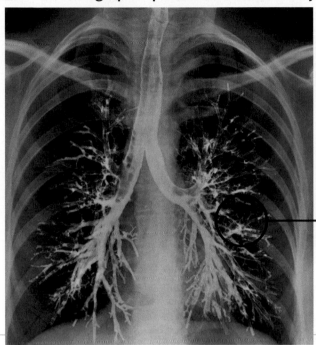

trachée — œsophage
bronche — bronchiole
— alvéole
poumon — cœur

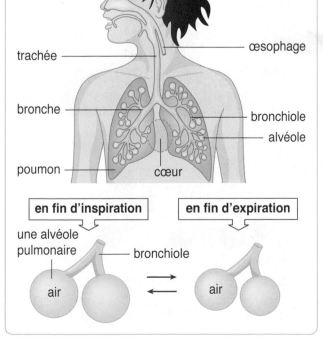

en fin d'inspiration **en fin d'expiration**

une alvéole pulmonaire — bronchiole
air   air

Activités

● Que représentent les photographies du document **1** ?

● Décalque la radiographie du document **2** en simplifiant un peu et mets une légende à ton dessin. Le document **3** peut t'aider.

● Nomme dans l'ordre les voies successivement parcourues par l'air depuis son entrée dans l'appareil respiratoire jusqu'à sa sortie.

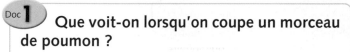

D'après toi, pourquoi ce morceau de poumon de mouton flotte-t-il sur l'eau ?

Des questions, des échanges...

➡ Place un morceau de poumon dans l'eau et comprime-le. Qu'observes-tu ?

➡ Un poumon contient de très nombreux vaisseaux sanguins. À quoi le vois-tu ?

➡ L'air expiré a-t-il la même composition que l'air inspiré ? Que sais-tu à ce sujet ?

Le problème à résoudre

➡ Où se réalisent les échanges entre l'air et le sang ?

Où est l'air dans les poumons ?

Doc 1 Que voit-on lorsqu'on coupe un morceau de poumon ?

bronche — vaisseau sanguin

Un poumon est constitué de tissu mou, spongieux et de couleur rosée. Quand on le comprime on voit perler de nombreuses gouttelettes de sang. Si on le comprime sous l'eau, des bulles d'air s'en échappent.

Des nombres surprenants

• Volume de sang traversant les poumons : 5 litres par minute.

• Longueur des capillaires pulmonaires : 2 400 km.

• Épaisseur de la paroi séparant l'air du sang : moins de 1 micromètre (1 µm : 0,001 mm).

Doc 2 Coupe effectuée dans un poumon humain et observée au microscope.

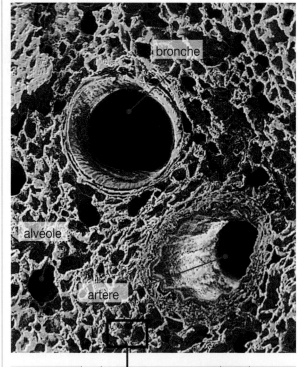

bronche

alveole

artère

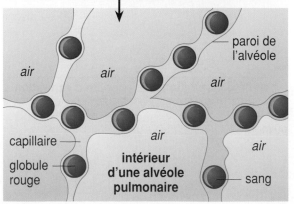

air — air — air — paroi de l'alvéole

air

capillaire — air — air

globule rouge — intérieur d'une alvéole pulmonaire — sang

La paroi alvéolaire : une remarquable surface d'échanges

Doc 3 | **Que montre ce document étonnant ?**

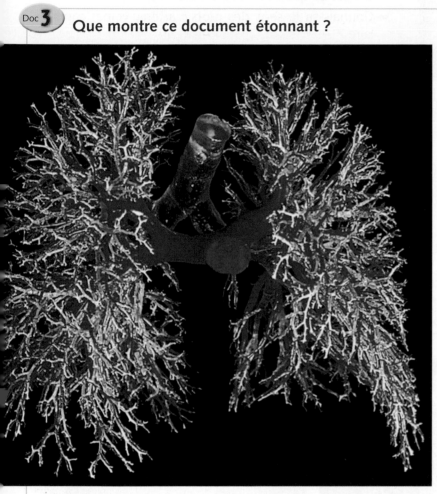

Des résines plastiques de couleur différente sont injectées dans les voies respiratoires et dans les vaisseaux sanguins.

Après solidification des résines, on détruit le tissu pulmonaire.

Par des techniques complexes, on peut obtenir un moulage des voies respiratoires (en blanc) et des vaisseaux sanguins (en rouge).

Doc 4 | **Les échanges entre l'air et le sang.**

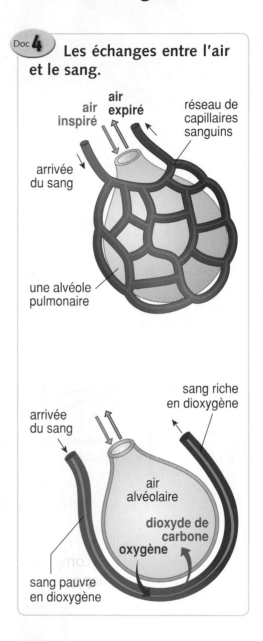

Activités

- Décalque le document **2** et mets des légendes à ton dessin.

- Énumère les propriétés des alvéoles pulmonaires. Pourquoi dit-on qu'elles constituent une remarquable surface d'échanges ?

- Quel est le sang le plus riche en dioxygène, celui qui arrive à l'alvéole ou celui qui en repart (doc. **4**) ?

- Quel est l'air le plus riche en dioxygène, celui qui arrive à l'alvéole (air inspiré) ou celui qui en part (air expiré) ?

La plus petite blessure à la main, au genou, à la tête … fait apparaître quelques gouttes de sang. Sais-tu où se trouve le sang dans ton corps ?

Des questions, des échanges…

➡ D'après toi, combien de litres de sang as-tu dans ton corps ?
➡ Y a-t-il du sang dans tous les organes ?
➡ Qu'est-ce que la circulation du sang ?
➡ Connais-tu le sens des mots : artère, veine, capillaire ?

Le problème à résoudre

➡ Où se trouve le sang dans le corps humain ?

L'observation de vaisseaux sanguins

Doc 1 **Il y a 5 litres de sang chez un adulte et 3 litres chez un enfant.** Ce liquide circule dans un ensemble de vaisseaux sanguins que nous allons découvrir.

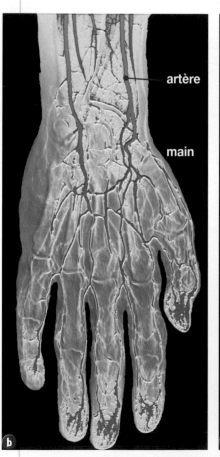

artère

main

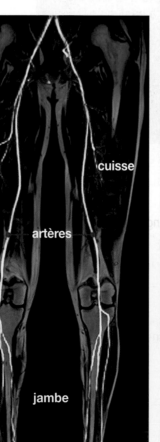

cuisse

artères

jambe

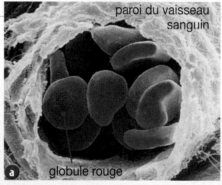

paroi du vaisseau sanguin

a globule rouge

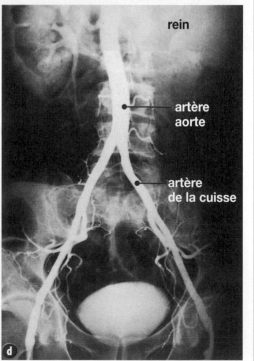

rein

artère aorte

artère de la cuisse

d

Sur les documents ci-dessus, les artères sont rendues visibles par un traitement spécial.

Un circuit fermé de 150 000 kilomètres

Doc 2 **Les capillaires sont fins comme des cheveux.**

Un capillaire est un vaisseau sanguin très fin, à la paroi fine dans lequel le sang circule très lentement ; c'est à son niveau que les échanges entre le sang et l'organe sont possibles.

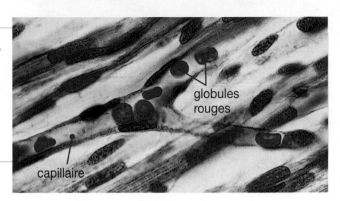

globules rouges

capillaire

Doc 3 **Le sang est toujours dans des vaisseaux.**

Les artères : les « autoroutes du sang ».
Elles assurent le transport rapide entre le cœur et les organes
(du cœur au pied en 3 secondes !).

Les veines sont des vaisseaux sanguins qui conduisent le sang des organes vers le cœur.

C'est seulement au niveau des capillaires que se font les échanges entre le sang et les organes.

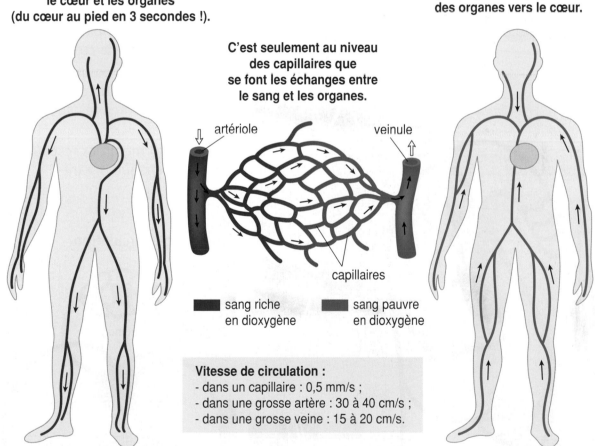

artériole

veinule

capillaires

sang riche en dioxygène

sang pauvre en dioxygène

Vitesse de circulation :
- dans un capillaire : 0,5 mm/s ;
- dans une grosse artère : 30 à 40 cm/s ;
- dans une grosse veine : 15 à 20 cm/s.

Activités

- Que vois-tu sur le document **1** ? Quelle information apporte-t-il ?
- Que signifient les expressions : circulation à sens unique, circulation lente, circulation rapide ?

Des questions, des échanges...

➡ En appuyant légèrement avec tes doigts sur une artère au niveau du poignet, que sens-tu ? Sais-tu de quoi il s'agit ?

➡ La pulsation que tu ressens est-elle régulière ? Est-elle modifiée lorsque tu as couru ?

➡ Comment faire pour entendre battre le cœur ?

➡ Pourquoi parle-t-on de « circulation » du sang ?

Le problème à résoudre

➡ Comment le sang circule-t-il dans le corps ?

Que fait Lucie ?
Pourquoi regarde-t-elle sa montre ?

Le passage du sang dans les poumons

Doc 1 Une goutte de sang passe obligatoirement par les poumons avant d'être envoyée dans un organe. Est-ce important ?

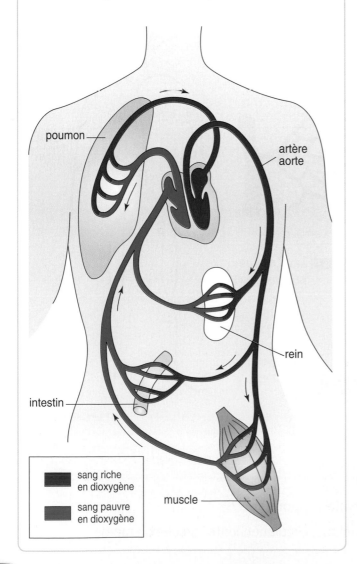

poumon

artère aorte

rein

intestin

muscle

■ sang riche en dioxygène

■ sang pauvre en dioxygène

Doc 2 **L'appareil circulatoire comprend** un système de vaisseaux sanguins dans lesquels le sang circule et un ensemble de deux pompes dont la réunion forme le cœur.

Le fonctionnement du cœur impose une circulation à sens unique, du cœur aux organes par les artères, des organes au cœur par les veines.

Les capillaires forment des réseaux ramifiés à l'intérieur de chaque organe.

Doc 3 **Une double circulation.**

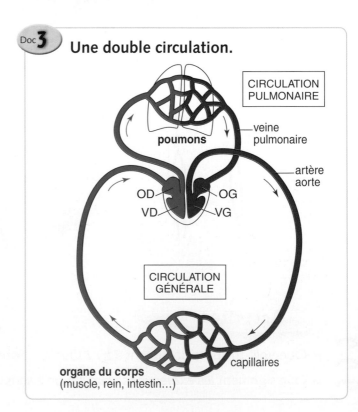

CIRCULATION PULMONAIRE

poumons

veine pulmonaire

artère aorte

OD — OG
VD — VG

CIRCULATION GÉNÉRALE

organe du corps (muscle, rein, intestin...)

capillaires

Le sang est un liquide de transport

Doc **4** | **Les échanges entre le sang et les organes.**

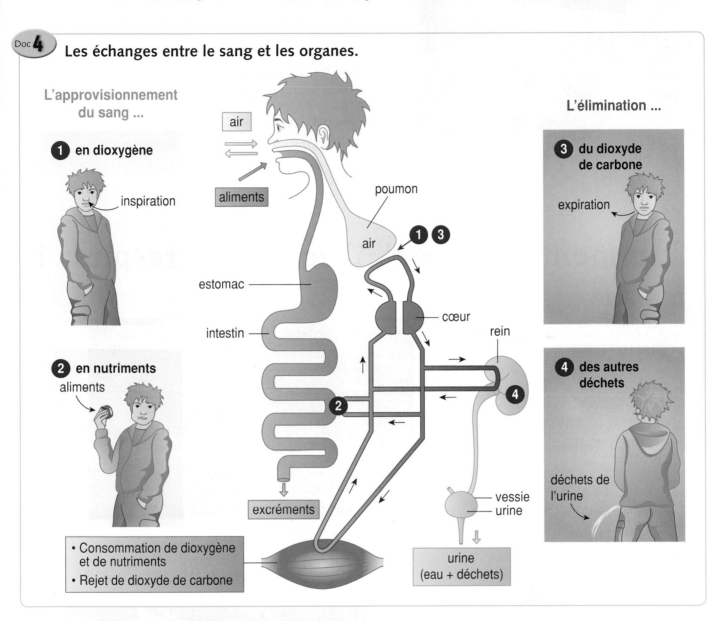

L'approvisionnement du sang ...

1 **en dioxygène**

inspiration

air

aliments

poumon

air

1 **3**

estomac

2 **en nutriments**

aliments

intestin

cœur

rein

2

4

excréments

vessie
urine

• Consommation de dioxygène et de nutriments
• Rejet de dioxyde de carbone

urine
(eau + déchets)

L'élimination ...

3 **du dioxyde de carbone**

expiration

4 **des autres déchets**

déchets de l'urine

Des nombres impressionnants

• Ton cœur bat à peu près 70 fois par minute, ce qui fait 100 000 fois par jour.

• Quand tu cours, le rythme s'accélère. Au cours d'une activité intense, il peut atteindre 140 et même 180 battements par minute.

• À chaque battement le cœur envoie 70 mL de sang dans les artères.

• Quand tu auras 75 ans, le cœur aura ainsi pompé 200 millions de litres.

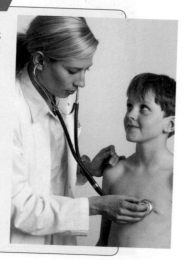

Activités

● Le sang circule-t-il partout à la même vitesse ?

● Pourquoi dit-on que la circulation du sang se fait à sens unique ?

● **Vrai ou faux :** Une goutte de sang venant de la main (ou de la tête) passe obligatoirement par les poumons avant de repartir vers un autre organe.

L'échographie est un examen sans danger. Il permet à la maman de « voir » son bébé pour la première fois.

Comment bébé peut-il manger ? respirer ?

Doc 1 **La première « photo » de bébé.**

L'échographie assure une surveillance précise du développement de l'embryon. Elle permet en particulier de dater avec précision l'âge de l'embryon, de suivre la croissance de différents organes, de réaliser des mesures, de déceler d'éventuelles anomalies…

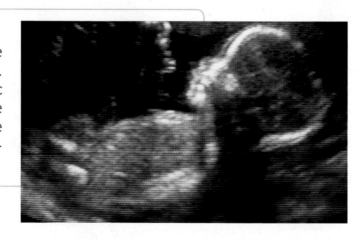

Doc 2 **Un embryon de 10 semaines** ne mesure que 5 cm et tous les organes sont déjà en place.

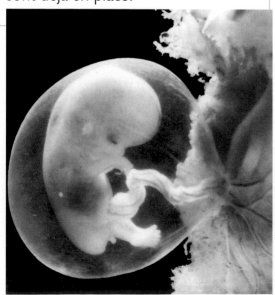

Doc 3 **Cet embryon a 18 semaines.** Il a beaucoup grandi.

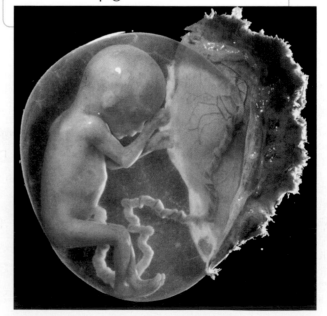

Au départ la rencontre d'un ovule et d'un spermatozoïde

Doc 4 **Entre ces deux images, 9 mois se sont écoulés.**
Au début de la grossesse, l'œuf est plus petit qu'une tête d'épingle. Sa taille ne dépasse pas 0,1 mm ! Fixé à la paroi de l'utérus maternel, il se développe rapidement.

œuf
utérus
vessie
orifice urinaire
anus
vagin
vulve

placenta
cordon ombilical
utérus
vulve

Doc 5 **Les premières semaines d'une nouvelle vie.**

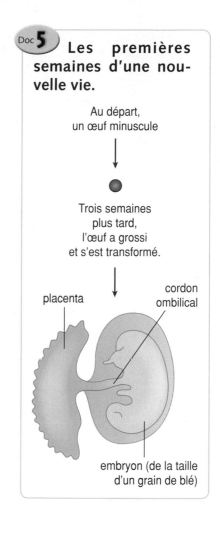

Au départ, un œuf minuscule

Trois semaines plus tard, l'œuf a grossi et s'est transformé.

placenta

cordon ombilical

embryon (de la taille d'un grain de blé)

Doc 6 **L'embryon mesure maintenant 25 cm.** Il peut plier ou détendre ses jambes, sucer son pouce…

« L'habitacle de l'embryon est une sphère ronde, une poche remplie de liquide qui le met à l'abri des chocs, des bruits, des microbes… Le cordon ombilical, qui relie l'embryon au placenta, assure tous les échanges entre mère et enfant. »

C. Edelmann.

Activités

- Décris la photographie du document **1**.
- Quelles informations fournit une échographie ?
- Décalque la photographie du document **3** et mets des légendes à ton dessin.
- Compare les photographies des documents **2** et . Que constates-tu ?
- Quelles informations te fournit le document **6** ?

J'entends le cœur du bébé.

Une croissance prodigieuse

Doc 1 **Des nombres stupéfiants.**

Les membres inférieurs étant généralement repliés, on mesure souvent le fœtus du sommet de la tête au coccyx

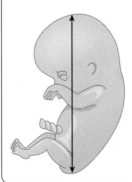

2 semaines......	1,5 mm
3 semaines......	2,5 mm
4 semaines......	5 mm
5 semaines......	8,5 mm
7 semaines......	20 mm
2 mois.............	33 mm
3 mois.............	95 mm
4 mois.............	135 mm
6 mois.............	230 mm
7 mois.............	335 mm

2 semaines

3 semaines

1 mois

2 mois

Incroyable !

Au cours des 9 mois de grossesse :

• la taille de l'œuf augmente 5 000 fois (elle passe de 0,1 mm à 50 cm) ;

• le poids de l'œuf est multiplié par 3 milliards !

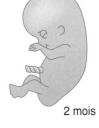

4 mois

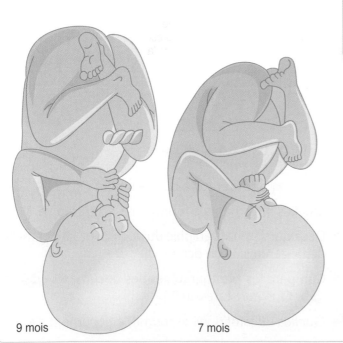

9 mois

7 mois

6 mois

5 mois

Les tailles réelles ne sont pas respectées

9 mois pour « fabriquer » un bébé

Doc **2** **Que de changements en une semaine !**

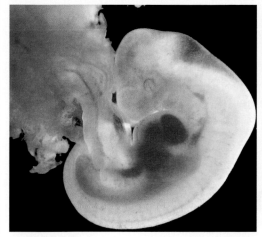 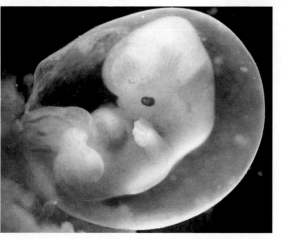

Embryon de 5 semaines. Les membres ne sont encore que de petits « bourgeons ».

Embryon de 6 semaines. Les membres sont bien visibles. Les mains et les pieds sont palmés.

Doc **3** **Avant la naissance, les mêmes étapes pour tous.**

9 mois de grossesse	

les oreilles fonctionnent, le « bébé » perçoit les sons

si le « bébé » naît maintenant, il peut vivre

on peut reconnaître le sexe par échographie

FÉCONDATION

NAISSANCE

tous les organes sont formés

embryon   fœtus

0   1   2   3   4   5   6   7   8   9

21 jours : le cœur bat pour la première fois

les membres sont formés

la maman sent bouger son enfant

« bébé » se retourne et présente sa tête vers la « sortie »

« bébé » commence à bouger ses bras, à remuer sa tête ...

« bébé » suce déjà son pouce

Activités

● Dessine, à leur taille réelle, les silhouettes du document **1** et colle tes dessins en bonne place sur une bande de papier de 90 cm de longueur (10 cm représentant 1 mois). Même si les dessins ne sont pas très beaux, tu seras étonné de l'extraordinaire croissance du « bébé » au cours de la grossesse.

● Pourquoi a-t-on retourné les deux derniers dessins (7 et 9 mois) ?

● Dessine les photographies du document **2** et mets une légende à tes dessins.

● À quel moment le cœur bat-il pour la première fois ?

● Quelles informations du document **3** montrent que le fœtus et l'embryon sont bien vivants ?

Un moment émouvant : le premier contact.

Des questions, des échanges...

➡ Où et quand es-tu né ?

➡ Tu connais le jour de ta naissance, mais en connais-tu l'heure ?

➡ Sais-tu à quoi correspond ton nombril ?

➡ Cherche dans le dictionnaire le sens des mots : accouchement, maternité, césarienne, fausse couche, avortement.

Le problème à résoudre

➡ Quels changements se produisent au moment de la naissance ?

Un moment unique

Doc 1 **Le déroulement de l'accouchement.**

Après 9 mois de vie à l'intérieur de l'utérus maternel, le bébé « demande à sortir ». La maman ressent des contractions dans son ventre. Il est temps de partir à la maternité.

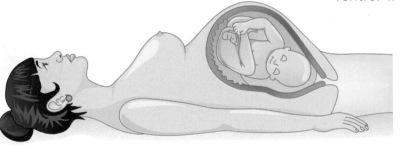

Les contractions des muscles de l'utérus entraînent la rupture de la poche des eaux et poussent le bébé dehors.

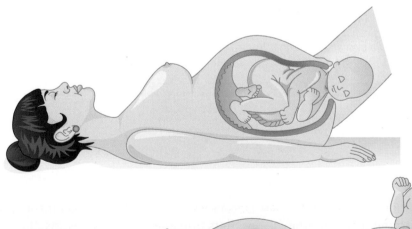

Le col de l'utérus se dilate et, par l'ouverture ainsi faite, la tête du bébé sort la première.

Le cordon ombilical qui relie encore le bébé au placenta est alors coupé. Quelques minutes plus tard le placenta est lui-même expulsé.
Au moment du premier cri, l'air s'engouffre dans les poumons du bébé. Ses alvéoles pulmonaires se déplissent et se gonflent d'air. Les poumons commencent leur travail qui ne s'arrêtera qu'à la fin de la vie.

La naissance fait passer d'un milieu à un autre

Doc 2 Pendant la grossesse.

Le bébé n'a pas de contact avec le milieu extérieur. Enfermé dans sa « poche des eaux », il réalise des échanges avec sa mère à travers le placenta. À ce niveau, le sang de la mère et celui de l'enfant restent séparés mais de nombreux échanges ont lieu à travers la paroi des vaisseaux.

Le cordon ombilical assure la liaison jusqu'à l'embryon. C'est une sorte de pont avec une circulation dans les deux sens.

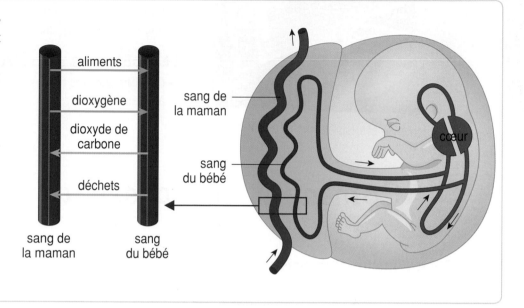

aliments

dioxygène

dioxyde de carbone

déchets

sang de la maman

sang du bébé

sang de la maman

sang du bébé

cœur

Doc 3 Après l'accouchement.

• À la naissance le bébé quitte sa poche de liquide. Dehors, il y a de l'air ! et le nouveau-né respire avec ses poumons pour la première fois. Il n'a plus besoin du placenta pour vivre. Le cordon ombilical est alors coupé (ce qui ne fait pas mal !) à quelques centimètres du ventre du bébé. Quelques jours plus tard, il ne reste qu'une cicatrice : le nombril.

• Très vite, Le nouveau-né est prêt pour sa première tétée. Le sein de sa maman fournit, sans préparation, un aliment propre, à la bonne température, facile à digérer, adapté à son âge.

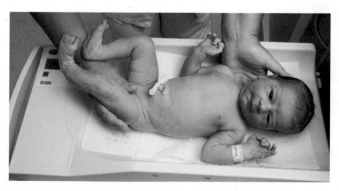

Activités

- Comment le nouveau-né est-il expulsé ?
- À quoi correspond le premier cri du bébé à la naissance ?
- À quoi correspond le nombril ?
- Quels grands changements se produisent au moment de la naissance ?
- Compare le milieu de vie du bébé, sa nutrition, sa respiration… avant et après la naissance.

Pourquoi à la cantine choisis-tu un aliment plutôt qu'un autre ?

Comment composer un menu ?

Doc 1 — Quels aliments reconnais-tu ?

Regarde bien les 6 groupes d'aliments (p. 63).

1. Choisis d'abord le plat principal parmi les aliments du groupe 1.
2. Puis chsoisis deux légumes dans le groupe 5 selon la saison.
3. Complète le menu en ajoutant :
   - au moins une crudité et un fruit,
   - au moins un produit laitier ou du fromage,
   - des féculents s'il faut rendre le repas plus nourrissant.
4. N'oublie pas d'ajouter de l'eau, boisson indispensable.

Doc 2 — À quoi servent les aliments que nous mangeons ?

Certains sont riches en matériaux nécessaires à la construction de ton squelette, de tes muscles, de ton cerveau...

On les appelle **aliments bâtisseurs**.

Certains sont riches en constituants servant de « carburant » et apportent l'énergie nécessaire à la vie.

On les appelle **aliments énergétiques**.

Certains sont riches en vitamines, cellulose... assurant le bon fonctionnement du corps

On les appelle **aliments protecteurs**.

Les groupes d'aliments

Doc 3   **Les groupes d'aliments.**

Les médecins spécialistes de la nutrition ont classé les aliments en fonction de leurs caractéristiques nutritionnelles.

> Pour être en bonne santé, les repas d'une journée doivent fournir au moins un aliment de chacun des groupes suivants.

Groupe 1

Viandes,
œufs,
poissons

Aliments bâtisseurs

Groupe 2

Lait et produits
laitiers

Groupe 3

Matières
grasses

Aliments énergétiques

Groupe 4

Pain,
pâtes,
féculents

Groupe 5

Légumes
et fruits

Aliments protecteurs

Groupe 6

Boissons

Activités

- Cherche différentes façons de classer les aliments présentés sur le document **1** : cuits ou crus, d'origine animale ou végétale…

- Propose un menu en utilisant ces aliments.

- Qu'appelle-t-on « aliment bâtisseur » ? Qu'appelle-t-on « aliment énergétique » (doc. **2**) ?

INFORMATIONS NUTRITIONNELLES MOYENNES POUR 100 ML

Valeur énergétique : 193 kJ ou 46 kcal

Protéines : .... 3,15 g

Glucides : .... 4,8 g

Lipides : .... 1,55 g

Calcium : .... 120 mg soit 15% des AJR*

* Apports Journaliers Recommandés

Quelles informations figurent sur cette « brique » de lait ? Sais-tu ce qu'on appelle « valeur énergétique d'un aliment » ?

Des questions, des échanges…

➥ Cherche des emballages d'aliments qui indiquent leur valeur énergétique et apporte-les en classe.

➥ Tous les aliments ont-ils la même valeur énergétique ? Comment le sait-on ?

➥ La consommation d'une voiture est-elle la même à 50 kilomètres-heure et à 130 kilomètres-heure ?

➥ L'alimentation d'un sportif de haut niveau est-elle différente de celle des autres personnes ? D'après toi, pourquoi ?

Le problème à résoudre

➥ Les besoins alimentaires sont-ils les mêmes pour tous ?

Les dépenses de l'organisme

Doc 1 **Combien « coûte » une heure de marche, une heure de vélo ?**

marche*
105

course*
1 040

natation*
495

vélo*
835

* Les valeurs sont exprimées en kilocalories par heure.

Doc 2 **Qui dépense le plus en une journée ?**

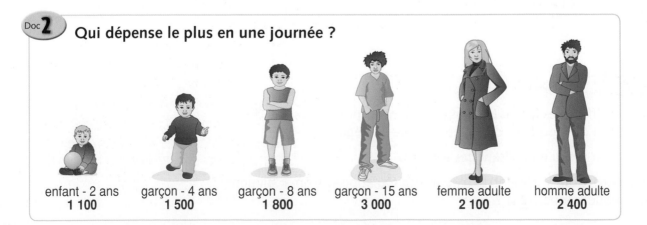

enfant - 2 ans	garçon - 4 ans	garçon - 8 ans	garçon - 15 ans	femme adulte	homme adulte
1 100	**1 500**	**1 800**	**3 000**	**2 100**	**2 400**

Manger suffisamment mais pas trop

Doc 3 Équilibrer l'apport alimentaire en fonction de ses dépenses.

apport de 12 000 kJ*	dépense de 12 000 kJ	stabilité de la masse corporelle
apport de 16 000 kJ	dépense de 8 000 kJ	augmentation de la masse corporelle
apport de 8 000 kJ	dépense de 12 000 kJ	réduction de la masse corporelle

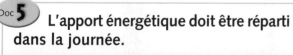

* 1 kilocalorie : 4,18 kilojoules

Doc 4 Télévision + grignotage = risque d'obésité.

Les nutritionnistes sont inquiets

• Dans certains pays (Japon, Grande-Bretagne, États-Unis...), l'obésité augmente de manière inquiétante.

• Dans de nombreux pays « riches », le taux d'obèses double tous les cinq ans.

• En France, l'obésité touche 25 % des femmes et 20 % des hommes.

• On estime qu'en France, à l'âge de 10 ans, un enfant sur deux est obèse.

Doc 5 L'apport énergétique doit être réparti dans la journée.

Repas du soir 30 %
Petit déjeuner 25 %
Goûter 10 %
Repas de midi 35 %

Activités

● Regarde le document **1**. La dépense énergétique est-elle la même dans tous les cas ? Comment expliques-tu ces variations ?

● Explique ce que représente le document **2**.

● Que se passe-t-il quand l'apport alimentaire est supérieur aux dépenses ? Pour répondre, analyse le document **3**.

● Le petit déjeuner, premier repas de la journée, doit être un « vrai repas ». Justifie cette affirmation à partir des données du document **5**.

Quelques règles

Des questions, des échanges...

➡ D'après toi, que faut-il faire pour être en bonne santé ?

➡ Fais la liste de ce qu'il faudrait éviter.

➡ Les règles d'hygiène que l'on t'impose sont-elles arbitraires ?

Le problème à résoudre

➡ Rechercher comment se justifient les règles qui permettent le maintien en bonne santé.

Un coucher tardif, c'est ensuite une journée gâchée. Qu'en penses-tu ?

Pour rester en forme, tu dois...

Doc **1** **Dormir suffisamment et pour cela ne pas te coucher tard.**

Ce que dit le médecin :

« Ton cerveau est un organe qui se fatigue. Le sommeil fait disparaître cette fatigue. De plus, la construction du cerveau se poursuit surtout pendant que tu dors. »

Doc **2** **Commencer ta journée en prenant un bon petit déjeuner.**

Ce que dit le médecin :

« Quand tu te lèves le matin, tu n'as pas mangé depuis la veille. Si tu ne prends pas un petit déjeuner copieux, c'est le "coup de pompe de 11 heures" assuré. »

Doc **3** **Te brosser les dents après chaque repas.**

Ce que dit le médecin :

« Quand tu manges un bonbon ou un gâteau, une pellicule de sucre recouvre tes dents. En 1 ou 2 minutes, des millions de microbes contenus dans cette pellicule transforment le sucre en acide. Ce dernier attaque les dents sans que tu t'en rendes compte. »

Tu dois aussi...

Doc 4 Avoir des activités physiques (courir, marcher, jouer...).

Ce que dit le médecin :

« Pour bien grandir et pour développer toutes les parties de ton corps tu dois avoir chaque jour des activités physiques. »

Doc 5 Limiter le temps passé devant la télévision ou les jeux vidéo.

Ce que dit le médecin :

« Devant l'écran de télévision, ton corps reste passif, tes yeux se fatiguent et tu t'isoles des autres. Ce temps doit absolument être limité. »

Doc 6 Te laver les mains souvent.

Ce que dit le médecin :

« Dans l'air ambiant, il y a toujours des microbes qui peuvent transmettre des maladies. Tes mains sont toute la journée en contact avec des objets plus ou moins propres. Il est donc indispensable de te laver les mains plusieurs fois par jour. »

Doc 7 Avoir une alimentation saine et équilibrée et des repas à heures fixes.

Ce que dit le médecin :

« Pour éviter de devenir obèse, il faut absolument éviter de boire toute la journée des boissons sucrées et de grignoter constamment. »

Doc 8 Prendre régulièrement une douche.

Ce que dit le médecin :

« Tu dois débarrasser ta peau de toutes les souillures qui peuvent s'y accumuler, la laver au savon et bien la rincer. »

Activités

- De quoi se compose le petit déjeuner présenté sur le document **2** ?
- Combien de temps dors-tu la nuit ? Est-ce suffisant pour ton âge ?
- Combien d'heures passes-tu chaque jour devant la télévision ?
- Chaque règle d'hygiène imposée est justifiée. Pour chacune d'elles explique sa raison d'être.

J'ai découvert

Pages 42-43

Je suis responsable de la santé de mes dents

- Les dents sont des organes très durs, partiellement logés dans les os des mâchoires.
- Selon leur forme et la place qu'elles occupent, les dents ont des rôles différents.
- À l'âge de 2 ans, la dentition de lait comporte 20 dents. A partir de 7 ans, ces dents sont remplacées par des dents définitives et un adulte possède 32 dents.
- Les dents sont des organes très fragiles sur lesquelles peuvent se former des caries.
- Pour éviter les caries, il faut se brosser les dents après chaque repas, éviter les boissons sucrées, les bonbons, les gâteaux… entre les repas.

Pages 44-45

Le chemin des aliments dans mon corps

- Les aliments que je mange suivent un trajet imposé, celui du tube digestif, de 8 mètres de longueur, qui commence à la bouche et se termine à l'anus.
- Au cours de leur progression dans le tube digestif, les aliments sont broyés et imprégnés de sucs digestifs, liquides sécrétés par les glandes digestives.

Pages 46-47

Ce qu'est la digestion

- Dans le tube digestif, les aliments sont transformés en substances nutritives solubles, appelées nutriments. Ceux-ci traversent la paroi de l'intestin grêle et passent dans le sang : c'est l'absorption. Le sang les distribue à tous les organes du corps.
- La digestion est donc la transformation, sous l'action des sucs digestifs, des aliments en fragments microscopiques solubles. Les aliments qui ne sont pas digérés, notamment les fibres végétales, constituent les selles expulsées par l'anus.

Pages 48-49

Où va l'air que je respire

- La respiration est une alternance régulière de mouvements d'inspiration et d'expiration.
- Au cours d'une inspiration normale, environ un demi-litre d'air pénètre dans les poumons ; ceux-ci augmentent alors de volume.
- Au cours d'une expiration normale, le même volume sort des poumons.
- Ces volumes sont augmentés lors de mouvements d'inspiration et d'expiration forcées.
- L'air pénètre dans les poumons grâce à des tubes de plus en plus fins (les bronches) qui se terminent par de petits sacs, les alvéoles pulmonaires.

Pages 50-51

Où se font les échanges entre l'air et le sang ?

• Les poumons sont des organes très riches en vaisseaux sanguins et en air. Ils sont donc très légers.

• Au cours de son passage dans les poumons, l'air inspiré s'appauvrit en oxygène et s'enrichit en dioxyde de carbone. Des échanges gazeux se produisent donc entre l'air et le sang. Ils se réalisent au niveau de la paroi des alvéoles pulmonaires.

• Ces échanges sont facilités par la finesse de la paroi des alvéoles, leur grande surface et leur richesse en vaisseaux sanguins.

Pages 52 à 55

Le sang circule dans tout le corps

• Le sang est un liquide très complexe dont la composition est toujours à peu près la même. Sa couleur rouge est due aux très nombreux globules rouges qu'il contient.

• Le sang est toujours enfermé dans des tubes appelés vaisseaux sanguins qui sont répartis dans toutes les parties du corps.

• Les vaisseaux sanguins forment un circuit entièrement clos, à l'intérieur duquel le sang circule toujours dans le même sens. Dans chaque vaisseau sanguin, la circulation s'effectue donc à sens unique.

• Les contractions du cœur assurent la circulation du sang comme le ferait une pompe sur une canalisation.

Pages 56-57

La vie d'un bébé avant sa naissance

• La vie d'un enfant ne commence pas le jour de sa naissance, mais neuf mois plus tôt.

• Le futur bébé se développe bien au chaud dans le ventre de sa maman, à l'intérieur d'une poche remplie de liquide qui le protège contre les chocs.

• Le temps pendant lequel une femme est enceinte est appelé grossesse.

• L'échographie est l'un des moyens qui permet de surveiller le développement du bébé avant sa naissance.

Pages 58-59

La croissance du futur bébé est prodigieuse

• Au début de son développement, le futur bébé est un embryon plus petit qu'une tête d'épingle.

• À l'âge de trois semaines, sa taille est celle d'un grain de blé.

• À l'âge de huit semaines, l'embryon ressemble déjà à un être humain en réduction : on l'appelle alors fœtus. Il ne mesure guère plus de 3 cm et ne pèse que 3 g. Mais déjà presque tous les organes sont en place. Il lui reste à poursuivre sa croissance.

• À la naissance, le bébé mesurera environ 50 cm et pèsera environ 3 kg.

J'ai découvert

Pages 60-61

Les changements à la naissance

• Pendant toute la grossesse, le « bébé » est nourri par le sang de sa mère. Au niveau du placenta, le sang de la maman et celui de son enfant ne se mélangent pas. Cependant, les aliments solubles et l'oxygène contenus dans le sang de la mère passent dans le sang du « bébé ». En sens inverse, les déchets contenus dans le sang du « bébé » passent dans le sang maternel.

• La naissance ou accouchement représente, pour le nouveau-né, un changement considérable de ses conditions de vie. Il passe d'un milieu aquatique à 37°C à un milieu aérien beaucoup plus froid.

• Après sa naissance, le bébé n'a plus besoin du placenta pour vivre. Il respire par son nez, mange avec sa bouche… il est devenu un petit être presque autonome.

Pages 62-63

Les secrets d'une bonne alimentation

• Pour bien grandir et être en bonne santé, il faut avoir une alimentation variée. Celle-ci doit procurer au corps tous les aliments dont il a besoin : aliments bâtisseurs, aliments énergétiques et constituants servant « d'outils » pour un bon fonctionnement du corps comme les vitamines par exemple.

• Pour aider à composer les menus, les nutritionnistes ont classé les aliments en six groupes et donnent le conseil suivant : une alimentation est équilibrée si on mange chaque jour des aliments de chacun des groupes.

Pages 64-65

Il faut manger selon ses besoins

• Les besoins énergétiques de l'organisme varient en fonction de l'âge et de l'activité physique réalisée au cours d'une journée.

• Pour se maintenir en bonne santé et éviter les risques d'obésité, l'alimentation doit être équilibrée, c'est-à-dire répondre aux exigences de qualité mais aussi aux besoins quantitatifs en « carburant ».

• De plus, les apports alimentaires doivent être bien répartis dans la journée à commencer par un petit déjeuner suffisant.

Pages 66-67

Quelques règles pour rester en bonne santé

• Dormir suffisamment.
• Avoir des activités physiques suffisantes.
• Limiter le temps passé devant la télévision et les jeux vidéos.
• Respecter les règles d'hygiène (se laver les mains souvent, se brosser les dents après chaque repas, prendre régulièrement une douche…).
• Avoir une alimentation saine et équilibrée.
• Éviter le grignotage et la consommation de boissons sucrées à tous moments de la journée.

J'utilise mes connaissances et mes compétences

1 — Dent de lait ou dent définitive ?

1. Cette radiographie est-elle celle de la mâchoire d'un adulte ou celle de la mâchoire d'un enfant ?

2. À l'aide d'un papier calque, dessine le contour des dents et colorie avec des couleurs différentes les dents de lait et les dents définitives.

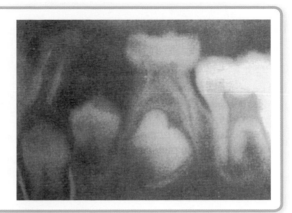

Compétences : Interpréter une radiographie, faire un dessin précis.

2 — Peut-on remplacer un aliment par un autre ?

1. Le lait est un aliment riche en protides. Quelle quantité de lait faut-il boire pour remplacer 100 g de viande ?

Équivalences en protides

100 g de viande   100 g de poisson

2 gros œufs   60 g de gruyère   1 demi-litre de lait

2. Les « végétariens » ne mangent ni viande ni poisson. Les protides sont alors fournis par des œufs, du lait, du fromage.
Combien faut-il manger d'œufs pour remplacer un beefsteak de 100 g ?

3. Comprends-tu pourquoi les spécialistes de l'alimentation mettent le poisson et les œufs dans le même groupe d'aliments ?

Compétences : Comprendre un dessin, interpréter des informations pour répondre à une question.

3 — Un petit déjeuner complet

Pour avoir un petit déjeuner complet, les médecins conseillent de consommer : une boisson, un produit laitier, du pain et des céréales.

1. Que manges-tu et que bois-tu à ton petit déjeuner ?

2. Fais la liste de tous les « produits laitiers » que tu connais.

3. Compose un « menu » de petit déjeuner en respectant la règle indiquée ci-dessus.

Compétences : Appliquer une consigne, respecter des règles d'hygiène.

4 — Vrai ou faux ?

Corrige les phrases inexactes.
- La digestion est la transformation chimique des aliments.
- Au cours de la digestion, les aliments sont transformés en substances solubles.
- Un aliment nutritif est un nutriment.
- La digestion des aliments se produit seulement dans l'estomac.
- L'appareil digestif comprend un tube digestif et des glandes digestives.
- Les sucs digestifs agissent sur les aliments et les transforment en nutriments.
- Après leur séjour dans le tube digestif, tous les aliments passent dans le sang.

Compétences : Comprendre le sens précis d'une phrase, mobiliser ses connaissances dans une situation nouvelle.

5 Vrais ou faux jumeaux ?

Il existe deux catégories de jumeaux : les faux jumeaux et les vrais jumeaux.

• Les faux jumeaux résultent de la fécondation par deux spermatozoïdes de deux ovules pondus en même temps. Ces jumeaux, qui ne sont pas obligatoirement de même sexe, ne sont pas plus semblables entre eux qu'ils ne le sont avec leurs autres frères et sœurs.

• Les vrais jumeaux sont issus d'un ovule unique fécondé par un spermatozoïde. Ces jumeaux sont toujours de même sexe et, possédant les mêmes caractères héréditaires, ils se ressemblent de façon remarquable.

1. D'après toi, les deux enfants de la photographie sont-ils des vrais ou des faux jumeaux ? Justifie ta réponse.

2. Comment peut-on savoir qu'une future maman va avoir des jumeaux ?

3. D'après toi, pourquoi deux vrais jumeaux ont-ils des ressemblances aussi surprenantes ?

4. Compare les dessins. Enumère les différences constatées.

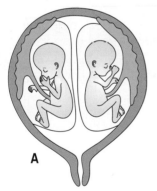

A

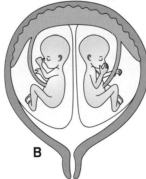

B

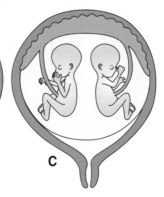

C

A, B, C : trois cas possibles pour les vrais jumeaux.
A : seul cas possible pour les faux jumeaux.

Compétence : Lire un texte et en tirer des informations, comparer des dessins.

6 Vrai ou faux ?

Corrige les phrases inexactes.

• La vie d'un être humain a débuté 9 mois avant sa naissance.

• Le bébé grandit moins vite après sa naissance qu'avant.

• Un embryon peut se développer sans placenta.

• Le futur bébé est enfermé dans une poche pleine d'air.

• À la naissance, tous les organes du bébé sont complètement développés, même son système nerveux.

• Après la naissance, le cordon ombilical, devenu inutile, laisse une cicatrice, le nombril.

• Pour avoir de l'oxygène nécessaire à sa vie, le futur bébé, encore dans l'utérus, respire à l'aide de ses poumons.

Compétence : Mobiliser ses connaissances dans une situation nouvelle.

Les êtres vivants dans leur environnement

Des questions, des échanges...

➡ Fais la liste des animaux que tu peux observer sur le chemin qui te mène à l'école, aux abords d'une habitation, dans la cour de l'école, dans un jardin public…

➡ Dans toutes les villes il existe des « coins de nature » : un square, un massif de carrefour…Complète cette liste.

Le problème à résoudre

➡ Quels êtres vivants trouve-t-on dans une ville ?

Qui ne connaît pas ces habitants de nos villes ?
D'après toi, pourquoi sont-ils si familiers ?

Des coins de nature dans la ville

Doc 1

Doc 2

Doc 3

Doc 4 « Autrefois, à Paris, j'avais en face de mes fenêtres, un arbre, un marronnier… j'allais dire un marronnier rose, mais il fallait attendre le printemps. Défeuillé, c'était un arbre nègre, noir de poussières et de fumées. Mais, grâce à lui, j'avais les saisons sous les yeux… Un bel arbre, émouvant, généreux. Il me rendait aussi les nids, les piaillements des moineaux rassemblés par le crépuscule, les battements d'ailes des ramiers… »

D'après Maurice Genevoix, « Un jour », Éd. du Seuil.

Ce sont des habitants de la ville

Doc **5** On trouve ces animaux ailleurs qu'en ville ; mais, depuis de nombreuses années, ils se sont acclimatés aux conditions de vie de la ville ainsi qu'à la proximité des hommes et de leurs activités.

Quelques animaux   **Ce qu'ils mangent**

① araignée .... mouches
② coccinelle .... pucerons
③ escargot .... herbe, feuilles
④ fourmi .... graines, pollen, nectar, petits insectes
⑤ gendarme .... pucerons, chenilles, sève des plantes
⑥ limace .... feuilles de divers végétaux
⑦ mille-pattes .... limaces, insectes
⑧ merle .... vers de terre, fruits
⑨ mésange .... insectes
⑩ moineau .... miettes de pain, graines, insectes
⑪ mouche .... fruits pourris, liquide sucré
⑫ pigeon .... graines, petits escargots, insectes
⑬ pou .... aspire le sang par piqûre
⑭ puceron .... sève des plantes (rosiers, arbres...)
⑮ souris .... graines, fruits, aliments de l'homme
⑯ ver de terre .... feuilles mortes

Activités

- Décris les photographies de la page 74. Que reconnais-tu ?
- D'après toi, pour la vie des animaux, est-ce important qu'il y ait des plantes dans la ville ?
- Donne leur nom à chacun des animaux du document **5**.
- Pour chacun de ces animaux précise où il peut trouver sa nourriture dans une ville.
- Indique où séjournent le plus souvent ces animaux.

Des questions, des échanges...

➡ Quel est le milieu de vie d'un têtard et celui d'une grenouille adulte ?

➡ Cite des différences entre ces deux stades de vie d'un même animal (allure, organisation, locomotion...).

➡ Connais-tu d'autres animaux qui changent de milieu au cours de leur vie ?

Le problème à résoudre

➡ Comment les êtres vivants s'adaptent-ils aux conditions du milieu ?

Si tu trouves des têtards, installe-les dans un aquarium quelque jours avant de les remettre dans la nature.

De l'œuf à la grenouille adulte

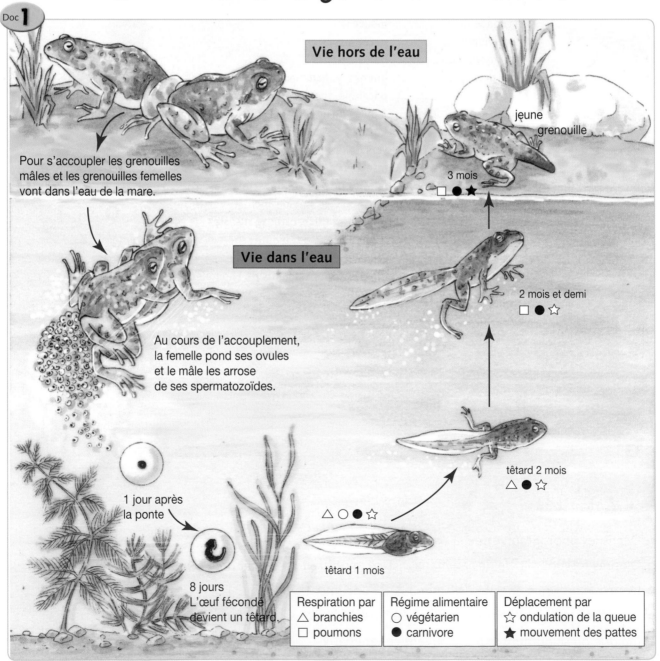

Doc 1

Vie hors de l'eau

Vie dans l'eau

Pour s'accoupler les grenouilles mâles et les grenouilles femelles vont dans l'eau de la mare.

Au cours de l'accouplement, la femelle pond ses ovules et le mâle les arrose de ses spermatozoïdes.

jeune grenouille

3 mois
□ ● ★

2 mois et demi
□ ● ☆

1 jour après la ponte

8 jours
L'œuf fécondé devient un têtard.

têtard 2 mois
△ ● ☆

△ ○ ● ☆

têtard 1 mois

Respiration par	Régime alimentaire	Déplacement par
△ branchies	○ végétarien	☆ ondulation de la queue
□ poumons	● carnivore	★ mouvement des pattes

Les métamorphoses de la libellule (ou agrion)

Doc **2**

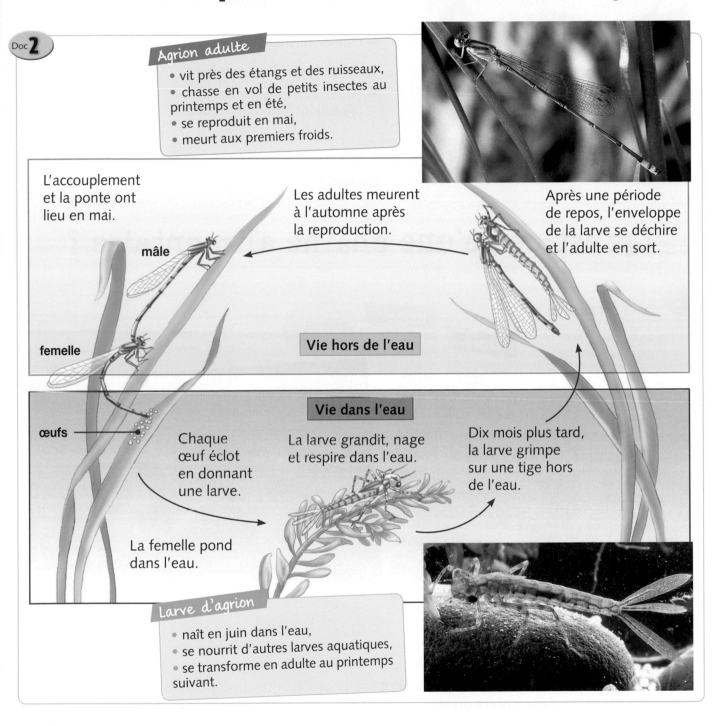

Agrion adulte
- vit près des étangs et des ruisseaux,
- chasse en vol de petits insectes au printemps et en été,
- se reproduit en mai,
- meurt aux premiers froids.

L'accouplement et la ponte ont lieu en mai.

Les adultes meurent à l'automne après la reproduction.

Après une période de repos, l'enveloppe de la larve se déchire et l'adulte en sort.

mâle

femelle

Vie hors de l'eau

Vie dans l'eau

œufs

Chaque œuf éclot en donnant une larve.

La larve grandit, nage et respire dans l'eau.

Dix mois plus tard, la larve grimpe sur une tige hors de l'eau.

La femelle pond dans l'eau.

Larve d'agrion
- naît en juin dans l'eau,
- se nourrit d'autres larves aquatiques,
- se transforme en adulte au printemps suivant.

Activités

- Comment respire un jeune têtard ? Comment respire une grenouille adulte ?

- Un têtard pourrait-il respirer dans l'air ? Une grenouille pourrait-elle respirer dans l'eau ? Que constates-tu ?

- Comment se déplace le têtard ? et la grenouille adulte ?

- Pourquoi dit-on que le têtard et la grenouille adulte sont bien adaptés à leur milieu de vie respectif ?

- Tu peux te poser les mêmes questions pour la libellule et sa larve.

chenille

rouge-gorge

chat

rouge-gorge

Ce dessin présente trois animaux qui vivent dans le même jardin. Quelle histoire peux-tu raconter à partir de cette image ?

Des questions, des échanges...

→ Combien d'acteurs sont mis en scène dans ton histoire ?

→ Que font ces acteurs ?

→ Quelles relations ont-ils entre eux ?

Le problème à résoudre

→ Pourquoi dit-on que dans un milieu les êtres vivants dépendent les uns des autres ?

Qu'est-ce qu'une chaîne alimentaire ?

Doc 1 Trois acteurs en scène.

herbe

renard

lapin

Doc 2 L'écriture d'une chaîne alimentaire.

Les scientifiques écrivent une chaîne alimentaire pour raconter une histoire de relation alimentaire **dans l'ordre** où elle s'est passée. Dans cette écriture, la flèche signifie « est mangé par... » : cerise → guêpe → mésange → chat.

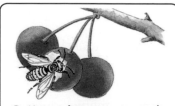

Cette guêpe gourmande trouve délicieuses les cerises du jardin.

La mésange apporte la guêpe à ses petits.

Le chat a surpris la mésange et va la dévorer.

ls dépendent les uns des autres

Qu'est-ce qu'un réseau alimentaire ?

Dans un milieu, les chaînes alimentaires sont entremêlées.

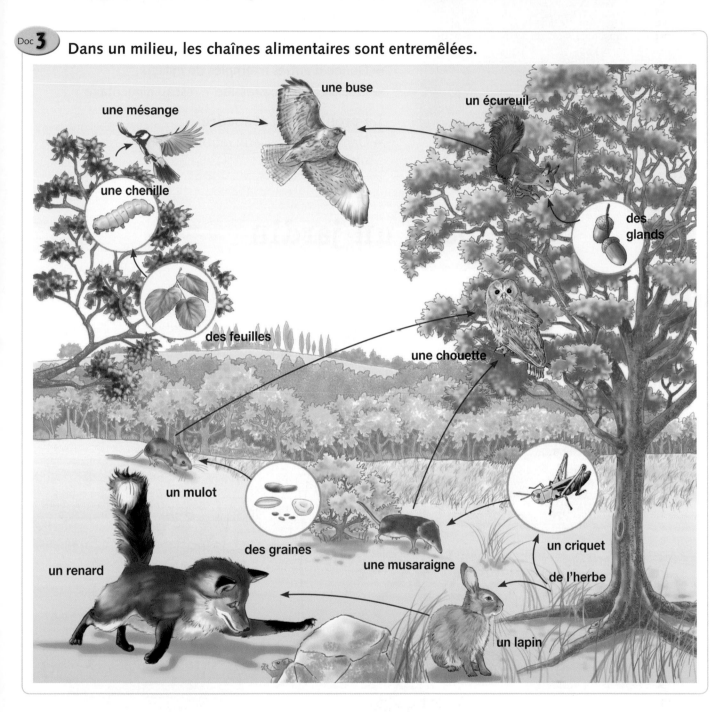

une buse

une mésange

un écureuil

une chenille

des glands

des feuilles

une chouette

un mulot

des graines

une musaraigne

un criquet

de l'herbe

un renard

un lapin

Activités

- Dans quel ordre les trois acteurs du document **1** entrent-ils en scène ?

- Écris la chaîne alimentaire qui leur correspond en utilisant le code adopté par les scientifiques (doc. **2**).

- Écris toutes les chaînes alimentaires présentées sur le document **3** .Que remarques-tu ?

- S'il n'y avait pas de plantes dans la nature, les animaux végétariens ne pourraient plus manger. Et les animaux carnivores le pourraient-ils ?

- Un animal carnivore peut-il se trouver au deuxième maillon d'une chaîne alimentaire ?

Que représente cette photographie ? Précise ce que l'on appelle un « milieu » de vie.

Des questions, des échanges…

➡ Pour les scientifiques, une forêt, une mare, une haie, une prairie… sont des milieux. À partir de l'un de ces exemples, propose une définition du mot « milieu. ».

➡ Donne d'autres exemples de milieux.

➡ Que signifie l'expression « réseau alimentaire » ?

Le problème à résoudre

➡ Dans tous les milieux retrouve-t-on des réseaux alimentaires ?

Dans un jardin

Doc **1**

une chouette

un hérisson

un lézard   une couleuvre

un mulot   une grive

une chenille   un carabe

un escargot

Dans un étang

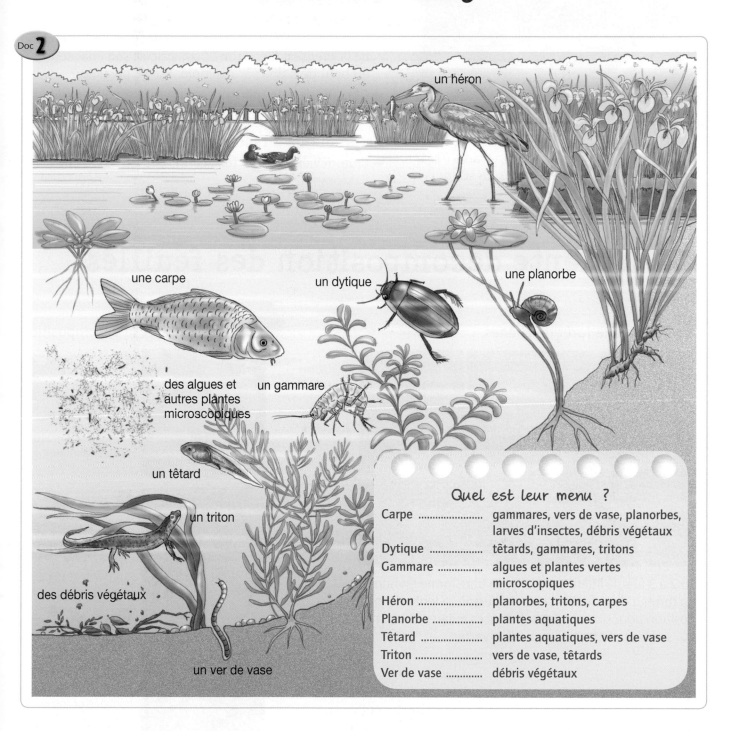

Doc **2**

un héron

une carpe

un dytique

une planorbe

des algues et autres plantes microscopiques

un gammare

un têtard

un triton

des débris végétaux

un ver de vase

Quel est leur menu ?

Carpe	gammares, vers de vase, planorbes, larves d'insectes, débris végétaux
Dytique	têtards, gammares, tritons
Gammare	algues et plantes vertes microscopiques
Héron	planorbes, tritons, carpes
Planorbe	plantes aquatiques
Têtard	plantes aquatiques, vers de vase
Triton	vers de vase, têtards
Ver de vase	débris végétaux

Activités

● Écris trois chaînes alimentaires représentées sur le document **1**.

● Quel est le premier maillon de chacune des chaînes ?

● Décalque le dessin de l'étang, mets le nom des animaux (sans les dessiner) puis trace les rela-tions alimentaires en utilisant les informations fournies dans le tableau.

● Les animaux de l'étang comme ceux du jar-din pourraient-ils vivre s'il n'y avait plus de plantes ?

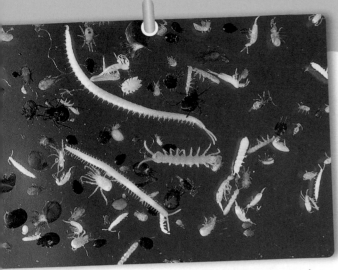

Sais-tu qu'il y a des millions d'êtres vivants dans chaque mètre carré de pelouse ou de sol de la forêt ?

Des questions, des échanges...

➡ Sais-tu ce que deviennent les feuilles des arbres à l'automne ?

➡ Si chaque année, dans une forêt de feuillus, l'épaisseur de la litière est d'environ 20cm, calcule son épaisseur au bout de 5 ans par exemple. Est-ce possible ?

➡ Cherche dans la litière qui recouvre le sol d'un jardin ou d'une forêt, les petits animaux qui y vivent.

Le problème à résoudre

➡ Que deviennent les feuilles mortes qui tombent à l'automne ?

La lente décomposition des feuilles

Doc 1 **Dans une forêt de chênes.**

En 2 à 3 ans, la litière de feuilles se transforme en humus ou terreau de la forêt. Celui-ci poursuit sa lente décomposition pour donner des substances minérales solubles qui sont les aliments des plantes vertes.

Doc 3 **Le jardinier fabrique du compost pour ses cultures.**

Le compost est obtenu à partir de déchets organiques variés : feuilles, brindilles, épluchures de légumes ou de fruits, marc de café, etc.

Ces déchets sont entassés dans un composteur. Remués régulièrement, ils se décomposent progressivement grâce à des bactéries, des champignons et divers animaux de petite taille appelés décomposeurs.

Doc 2 **Les étapes de la décomposition.**

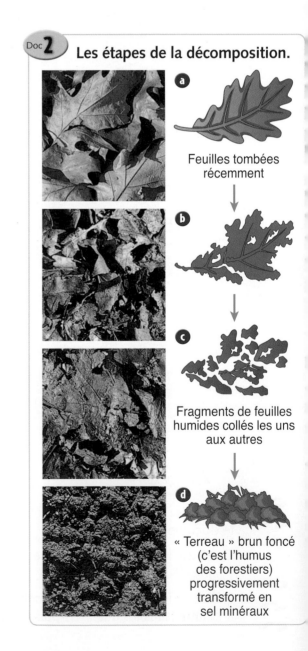

a — Feuilles tombées récemment

b

c — Fragments de feuilles humides collés les uns aux autres

d — « Terreau » brun foncé (c'est l'humus des forestiers) progressivement transformé en sel minéraux

es décomposeurs !

Les acteurs de la décomposition

Doc 4 Quelques habitants de la litière de feuilles mortes.

Pseudoscorpion

Trombidion

Cloporte

Doc 5 La chaîne alimentaire des décomposeurs.

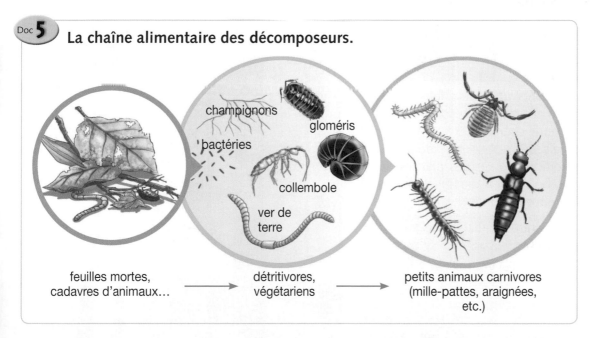

champignons

gloméris

bactéries

collembole

ver de terre

feuilles mortes, cadavres d'animaux… → détritivores, végétariens → petits animaux carnivores (mille-pattes, araignées, etc.)

Activités

- Dans un aquarium, mets une couche de terre de jardin ; recouvre-la d'une couche de feuilles mortes d'une dizaine de centimètres d'épaisseur. Ferme l'aquarium avec une feuille de matière plastique afin de maintenir l'humidité. Observe régulièrement ce que deviennent les feuilles.

- À partir du document **2**, décris les étapes de la décomposition d'une feuille de chêne.

- En utilisant des animaux présentés sur le document **5**, écris une chaîne alimentaire pouvant exister dans le sol de la forêt.

- Qu'appelle-t-on un décomposeur ?

- Pourquoi dit-on que les décomposeurs assurent le recyclage de la matière organique ?

Essaie d'imaginer pourquoi le bûcheron abat cet arbre.

Qu'est-ce qu'une forêt ?

Doc 1 — Dans une forêt, il n'y a pas que des arbres.

Dans une forêt de hêtres en Normandie, on a dénombré 3 000 à 5 000 espèces de plantes dont 280 de lichens et de mousses, 15 de fougères, 200 de plantes à fleurs...

Les animaux y sont également très nombreux. On a ainsi identifié 6 750 espèces différentes dont 5 200 d'insectes, 380 de vers de terre, 70 d'oiseaux...

Hêtraie en été

Les arbres arrêtent une grande partie des rayons du soleil : 80 % pour une chênaie, 99 % pour une hêtraie, 80 % pour une pinède. Les conditions de vie des plantes du sous-bois sont donc très variables d'une forêt à l'autre.

Hêtraie en automne

La diversité des lieux de vie et la variété des ressources alimentaires expliquent le très grand nombre d'espèces animales rencontrées.

Les forêts n'ont pas toutes le même visage

Doc 2 Une forêt de peupliers

Doc 3 Une forêt de pins

Les aiguilles de pins se décomposent mal et donnent une litière pauvre.

Doc 4 Une forêt de chênes

Doc 5 Des visages forestiers différents.

La futaie

Tous les arbres de la futaie ont à peu près le même âge et les mêmes dimensions.
- Chaque arbre provient d'une semence.
- La futaie fournit des troncs de plus de 30 cm de diamètre particulièrement appréciés.

Le taillis

Les arbres du taillis sont obtenus à partir du rejet de souches.
- Tous les 30 ans, on coupe totalement les arbres du taillis (coupe « à blanc »)
- Les résineux ne donnent jamais de rejets.

Le taillis sous futaie

- Les grands arbres proviennent de semences, les arbres plus petits ont poussé sur souche.
- Le taillis est coupé tous les 30 ans.

Activités

- Comparer les quatre forêts présentées (essence, richesse du sous-bois...).
- Qu'appelle-t-on une futaie ; un taillis sous futaie ?
- Quelles sont les interventions de l'Homme dans l'exploitation d'une forêt ?

Comment peut-on mettre en place des arbres tels que ceux de la photographie ci-dessus ?

Des questions, des échanges...

➡ Lorsqu'une forêt vieillit, il faut l'exploiter. Il faut aussi prévoir son remplacement. Parmi les diverses possibilités, la création d'une futaie est l'une d'elles.

➡ Combien faut-il de temps avant de couper les arbres : 10 ans ?, 30 ans ?, 200 ans ?

Le problème à résoudre

➡ Comment est réalisée la gestion d'une forêt ?

La futaie : du bois de qualité

Doc **1** **La croissance du tronc explique la qualité du bois.**

Chaque année un nouvel anneau de bois se forme sous l'écorce.

• Le bois fabriqué au printemps est très clair, il devient de plus en plus sombre quand on s'approche de l'été.

• L'hiver, l'arbre ne fabrique pas de bois. Il suffit donc de compter les anneaux (soit les clairs, soit les sombres) pour connaître l'âge de l'arbre.

Doc **2** **Les caractères de la futaie de chênes.**

• Tous les arbres sont nés à partir d'un gland. Ils ont tous le même âge.

• Le tronc est droit et puissant, il atteint 40 mètres de hauteur et plus de 50 centimètres de diamètre.

Il n'y a pas de branches basses : par manque de lumière, elles sont mortes et tombées.

• Le nombre d'arbres à l'hectare est un aspect important de la fabrication du bois et donc de la gestion.

Vocabulaire

• **Dépressage** : pour desserrer les jeunes plants

• **Éclaircies** :
– pour amener le peuplement à sa composition idéale,
– pour continuer la sélection des meilleurs sujets,
– pour leur donner une place suffisante.

Les forêts se cultivent

Doc **3**

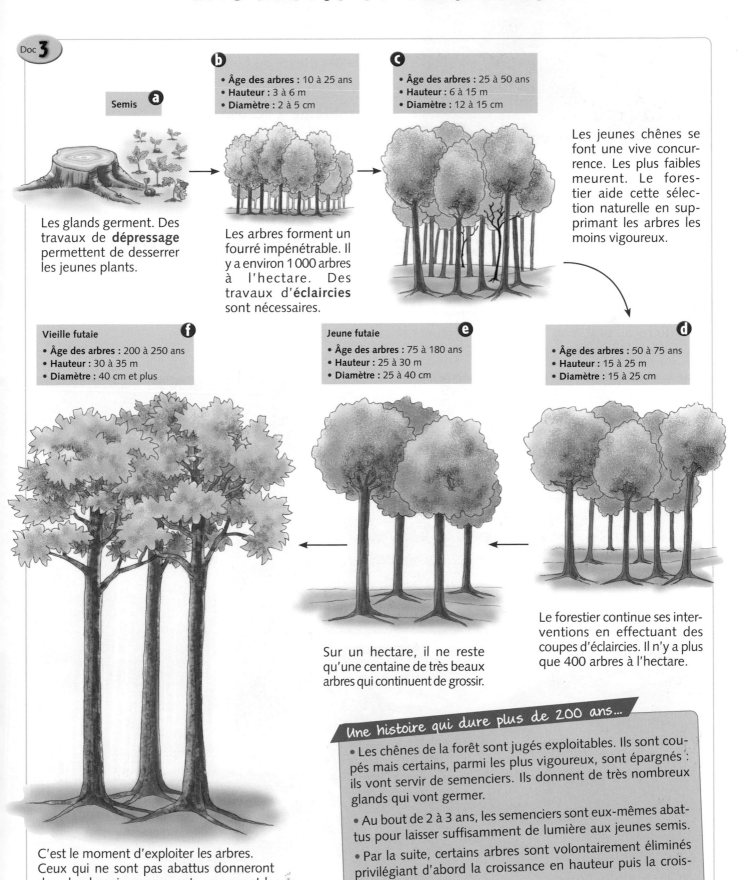

a Semis

Les glands germent. Des travaux de **dépressage** permettent de desserrer les jeunes plants.

b
- **Âge des arbres :** 10 à 25 ans
- **Hauteur :** 3 à 6 m
- **Diamètre :** 2 à 5 cm

Les arbres forment un fourré impénétrable. Il y a environ 1 000 arbres à l'hectare. Des travaux d'**éclaircies** sont nécessaires.

c
- **Âge des arbres :** 25 à 50 ans
- **Hauteur :** 6 à 15 m
- **Diamètre :** 12 à 15 cm

Les jeunes chênes se font une vive concurrence. Les plus faibles meurent. Le forestier aide cette sélection naturelle en supprimant les arbres les moins vigoureux.

f Vieille futaie
- **Âge des arbres :** 200 à 250 ans
- **Hauteur :** 30 à 35 m
- **Diamètre :** 40 cm et plus

e Jeune futaie
- **Âge des arbres :** 75 à 180 ans
- **Hauteur :** 25 à 30 m
- **Diamètre :** 25 à 40 cm

d
- **Âge des arbres :** 50 à 75 ans
- **Hauteur :** 15 à 25 m
- **Diamètre :** 15 à 25 cm

Le forestier continue ses interventions en effectuant des coupes d'éclaircies. Il n'y a plus que 400 arbres à l'hectare.

Sur un hectare, il ne reste qu'une centaine de très beaux arbres qui continuent de grossir.

C'est le moment d'exploiter les arbres. Ceux qui ne sont pas abattus donneront des glands qui, en germant, assureront la régénération de la forêt.

Une histoire qui dure plus de 200 ans...

- Les chênes de la forêt sont jugés exploitables. Ils sont coupés mais certains, parmi les plus vigoureux, sont épargnés : ils vont servir de semenciers. Ils donnent de très nombreux glands qui vont germer.

- Au bout de 2 à 3 ans, les semenciers sont eux-mêmes abattus pour laisser suffisamment de lumière aux jeunes semis.

- Par la suite, certains arbres sont volontairement éliminés privilégiant d'abord la croissance en hauteur puis la croissance en diamètre.

Des questions, des échanges...

➡ La forêt est une richesse. Que produit-elle ?

➡ Établis la liste de tout ce qui, autour de toi, est en bois ou provient du bois.

➡ Cite des usages du bois que tu connais.

➡ Le bois est-il un matériau renouvelable ?

Le problème à résoudre

➡ Tous les bois ont-ils les mêmes usages ?

D'après toi, quelle circonférence a ce chêne ?
Pourquoi est-il si gros ?

Le bois est une matière première

Doc **1** La consommation de bois augmente chaque jour mais on l'utilise de moins en moins à l'état brut. Essaie d'en trouver la raison, à partir des informations données par le dessin de la page 89.

Que produit la forêt ?

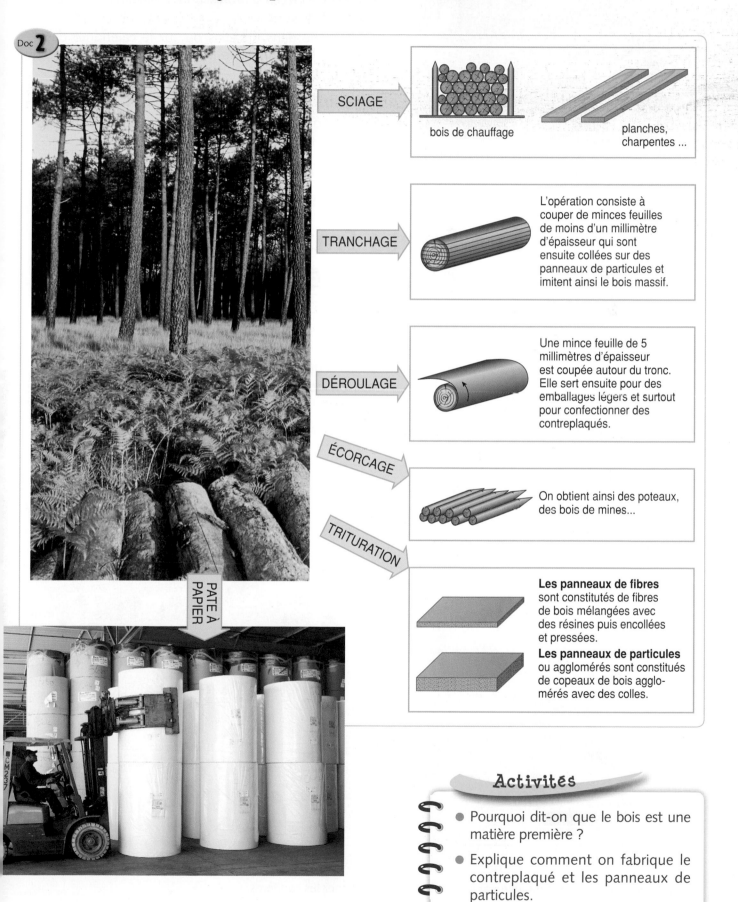

Doc 2

SCIAGE
bois de chauffage

planches,
charpentes ...

TRANCHAGE
L'opération consiste à couper de minces feuilles de moins d'un millimètre d'épaisseur qui sont ensuite collées sur des panneaux de particules et imitent ainsi le bois massif.

DÉROULAGE
Une mince feuille de 5 millimètres d'épaisseur est coupée autour du tronc. Elle sert ensuite pour des emballages légers et surtout pour confectionner des contreplaqués.

ÉCORCAGE
On obtient ainsi des poteaux, des bois de mines...

TRITURATION
Les panneaux de fibres sont constitués de fibres de bois mélangées avec des résines puis encollées et pressées.
Les panneaux de particules ou agglomérés sont constitués de copeaux de bois agglomérés avec des colles.

PATE À PAPIER

Activités

- Pourquoi dit-on que le bois est une matière première ?
- Explique comment on fabrique le contreplaqué et les panneaux de particules.

Ces deux troncs vont donner du bois de bonne qualité. Qu'est-ce qui le laisse supposer ?

Les forêts françaises
sont les plus variées d'Europe

Doc 1 Répartition des forêts en France métropolitaine.

Sur l'ensemble de la Terre, les forêts couvrent 27,6 % des continents soit environ 3 600 millions d'hectares. Leur répartition est non seulement liée à des facteurs naturels mais aussi aux interventions de l'Homme.

La forêt française métropolitaine couvre environ 15 millions d'hectares, soit un peu plus du quart du territoire.

Le taux de boisement en France en %

La répartition des feuillus et des résineux

taux de boisement en %

| 15 | 30 | 40 | 50 | 60 |

moyenne nationale : 27 %

200 km

source : I.F.N.

🌳 feuillus 🌲 résineux *(exprimé en %)*

La taille de chaque arbre est d'autant plus grande qu'il est plus répandu dans la région considérée

Le mot « résineux » est employé par les forestiers pour désigner les conifères.

La variété des espèces forestières

Doc **3**

Les principales essences des forêts françaises.

Pin sylvestre

Épicéa commun

Chêne pédonculé
- Feuilles à pétiole court **❶**
- Feuilles avec deux oreillettes à la base **❷**
- Gland à pédoncule long **❸**
- Floraison et libération du pollen : fin mai

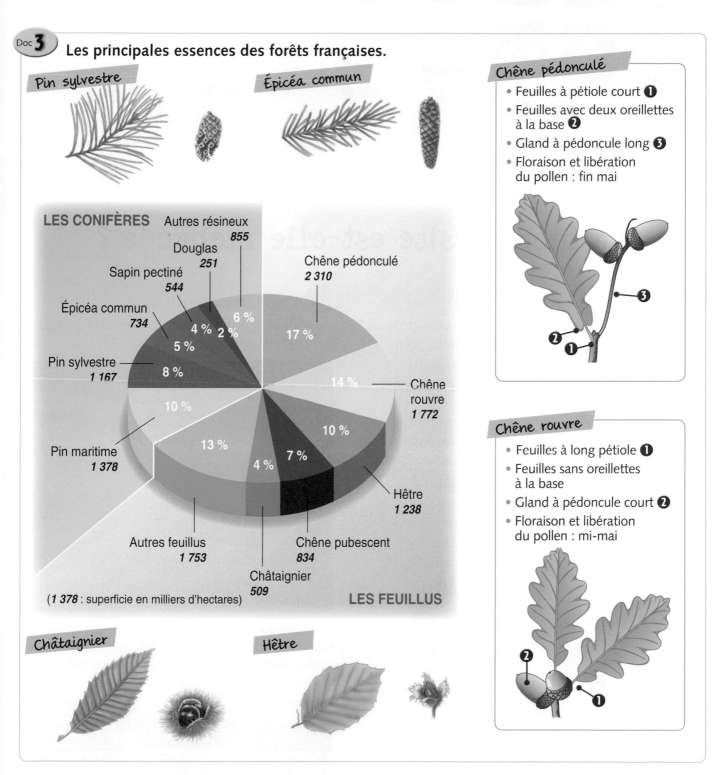

LES CONIFÈRES

Autres résineux *855*

Douglas *251*

Sapin pectiné *544*

Épicéa commun *734*

Pin sylvestre *1 167*

Pin maritime *1 378*

Chêne pédonculé *2 310*

Chêne rouvre *1 772*

Hêtre *1 238*

Chêne pubescent *834*

Châtaignier *509*

Autres feuillus *1 753*

6 % 2 % 4 % 5 % 8 % 10 % 13 % 4 % 7 % 10 % 14 % 17 %

(*1 378* : superficie en milliers d'hectares)

LES FEUILLUS

Chêne rouvre
- Feuilles à long pétiole **❶**
- Feuilles sans oreillettes à la base
- Gland à pédoncule court **❷**
- Floraison et libération du pollen : mi-mai

Châtaignier

Hêtre

Activités

- Dans les forêts françaises, où trouve-t-on le plus grand nombre de feuillus ? et le plus grand nombre de conifères ?
- Pourquoi dit-on que la France est le pays des chênes ?
- À partir des documents de ces deux pages, écris un texte présentant la variété des forêts françaises.

- Pas de chien, même tenu en laisse pour la tranquillité des animaux sauvages et domestiques.
- Ni cueillette, ni prélèvement
- Pas de feu pour éviter incendies et dégradations du sol.
- Ni bruit ni dérangement
- Pas de véhicule cet espace se découvre à pied circulation interdite en dehors des voies autorisées.

Que dit cette affiche placée à l'entrée d'un Parc national ? Justifie chacune des interdictions.

Des questions des échanges…
➡ Sais-tu ce qu'est un Parc national ?
➡ Recherche s'il en existe dans ta région.
➡ Qu'est-ce que la biodiversité ?
➡ La biodiversité est-elle menacée ?

Un problème à résoudre
➡ Comment les Hommes interviennent-ils sur la biodiversité ?

La biodiversité est-elle menacée ?

Doc 1 La déforestation.

Chaque année, dans le Monde, 150 000 km² de forêts tropicales sont détruits soit pour l'exploitation du bois, soit par les agriculteurs qui mettent le feu pour dégager le sol et le cultiver.

À ce rythme, de 5 à 20 % des espèces de ces forêts auront disparu dans les trente prochaines années.

Un exemple : des spécialistes estiment que, dans 20 ans, les forêts de l'île de Bornéo, en Indonésie, auront disparu.

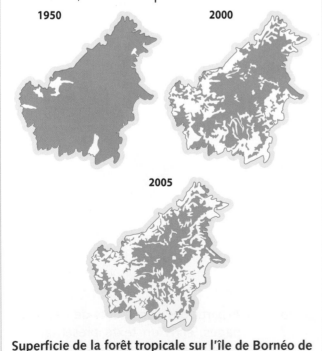

1950   **2000**

2005

Superficie de la forêt tropicale sur l'île de Bornéo de 1950 à 2005.

Doc 2 L'agriculture intensive.

L'agriculture intensive est la première menace sur la biodiversité en France.

Haies = lieu de vie

L'agrandissement des parcelles, la disparition des haies, la pratique de la monoculture, l'usage excessif des pesticides… ont fait disparaître de très nombreuses espèces animales et végétales.

Après l'arrachage des haies

Pour maintenir la biodiversité

 Préserver les milieux de vie.

9 Parcs nationaux, 45 parcs naturels régionaux, de très nombreuses réserves ont été créés en France, y compris dans les DOM-TOM.

Les principales missions d'un parc ou d'une réserve sont de connaître et de gérer son patrimoine naturel exceptionnel, d'aménager ce territoire et d'en promouvoir le développement.

Doc 4 **Conserver la diversité végétale dans des « conservatoires ».**

En France, au 1er octobre 2007, il existe 9 **conservatoires botaniques nationaux** dont la zone de compétence couvre 81 départements.

Les principales missions d'un conservatoire sont :

• la connaissance de l'état et de l'évolution de la flore sauvage,

• la proposition de listes d'espèces à protéger,

• la conservation de graines pour éviter la disparition des espèces les plus menacées et disposer ainsi de stocks de semences pour diverses utilisations (recherche, valorisation, réintroduction dans le milieu naturel…).

 Créer des variétés nouvelles.

Pour de très nombreuses plantées cultivées, la création de variétés nouvelles a permis une augmentation des rendements et une amélioration de la qualité des produits.

Activités

• Qu'est-ce que la déforestation ? Quelles en sont les conséquences ?

• En utilisant les documents **1** à **4**, cite des situations qui menacent la biodiversité.

• En France, quelles solutions met-on en place pour protéger la biodiversité ?

J'ai découvert

Pages 74-75

De nombreux êtres vivants même à Paris

• Quand on parle de milieu de vie, on pense plu- tôt à des milieux naturels (forêt, prairie, rivière, étang…). En fait pour certains êtres vivants, la ville constitue aussi un milieu de vie.

• Un milieu est caractérisé par les conditions de vie qui y règnent et par les animaux et les végé- taux qui l'habitent. Chaque être vivant trouve, dans son milieu, les conditions nécessaires à sa vie, et en particulier sa nourriture.

• De nombreuses relations s'établissent entre les êtres vivants d'un même milieu. L'activité des uns et des autres s'organise non seulement en fonction des conditions du milieu mais aussi des saisons.

Pages 76-77

L'adaptation des êtres vivants aux conditions du milieu

• Certaines espèces animales changent de milieu au cours de leur développement. Ainsi, un têtard de grenouille vit dans l'eau alors que l'adulte vit sur terre. De même, la larve de libellule mène une vie aqua- tique et l'adulte une vie aérienne.

• En changeant de milieu, l'animal modifie son mode de vie. Ces changements affec- tent différentes fonctions : les modes de déplacement, la nourriture et la façon de manger, le type de respiration aérienne ou aquatique…

• On dit que l'animal s'adapte aux condi- tions du milieu.

Pages 78 à 81

Les êtres vivants dépendent les uns des autres

• Une forêt, un jardin, une mare ou un étang… constituent des milieux de vie.

• Dans ces milieux, les relations alimen- taires qui existent entre les différents êtres vivants peuvent être représentées par des chaînes alimentaires organisées en réseau.

• Une chaîne alimentaire est une représen- tation du trajet de la nourriture depuis les plantes chlorophylliennes jusqu'aux ani- maux carnivores.

• Dans tous les milieux, les animaux dépendent des plantes pour se nourrir. S'il n'y avait plus de plantes, les animaux végétariens puis les animaux carnivores ne trouveraient plus à manger.

• Tous les êtres vivants sont indispen- sables à l'équilibre du milieu. La suppres- sion de certains maillons peut entraîner de graves déséquilibres.

Pages 82-83

Le travail des décomposeurs

• Dans le sol d'une forêt, des milliards d'êtres vivants (dont beaucoup sont microscopiques) se nourrissent des feuilles mortes, des branches tombées, des cadavres d'animaux… qu'ils décomposent et transforment en humus (ou terreau de la forêt) puis en substances miné- rales. Ces dernières servent ensuite d'ali- ments aux végétaux chlorophylliens. Les êtres vivants du sol de la forêt sont appelés des décomposeurs.

• Ce même phénomène de décomposition des substances organiques en substances minérales se produit dans tous les milieux. Ainsi, dans la nature, s'accomplit un véri- table cycle de la matière.

• En entassant tous les déchets organiques de la maison et du jardin, le jardinier utilise ce « travail » des décomposeurs pour obte- nir du compost qu'il répand ensuite pour fer- tiliser ses cultures.

Pages 84 à 87

En quoi consiste la gestion d'une forêt ?

• L'exploitation efficace d'une forêt consiste non seulement à couper les arbres à l'âge qui convient le mieux pour l'usage de leur bois mais aussi à prévoir leur renouvellement. C'est ce qu'on appelle gérer la forêt.

• La gestion d'une forêt dépend de la nature des arbres qui la composent.

• Une forêt de résineux est généralement obtenue en plantant de jeunes arbres issus de semis en pépinière. À maturité, tous les arbres sont abattus en même temps.

• Pour une forêt de chênes, on utilise une régénération naturelle. La forêt est progressivement éclaircie pour laisser la place aux plus beaux arbres qui constituent la futaie. Parmi ces arbres, certains sont conservés comme semenciers pour la régénération de la forêt.

Pages 88-89

Le bois, matériau renouvelable

• À l'époque du béton et des matières plastiques, le bois reste un matériau naturel très employé.

• On ne l'utilise pas seulement à l'état brut pour obtenir des poutres, des planches…Les techniques actuelles de transformation permettent de fabriquer à partir du bois des produits de grande qualité (panneaux de particules, contreplaqué…).

• Le bois est aussi utilisé pour fabriquer de la pâte à papier et se chauffer.

Pages 90 à 93

L'importance de la biodiversité

• Les forêts françaises sont les plus variées d'Europe. Aussi, dans leur gestion, les forestiers cherchent-ils à favoriser la diversité des arbres qui entraîne avec elle la diversité des espèces animales.

• Dans certaines régions du monde, la biodiversité est menacée en raison de certaines pratiques humaines (cultures intensives, déforestations massives, extension de monocultures…).

• Devant cette menace pour les espèces animales et végétales, les États cherchent à mettre en place des solutions pour protéger et conserver la biodiversité.

J'utilise mes connaissances et mes compétences

1 Les effets inattendus d'un insecticide

A. Des faits surprenants

Pour tuer les larves de moustiques qui vivaient dans un lac, on a vaporisé sur l'eau une très faible dose de DDT (c'est un insecticide). Les moustiques furent éliminés mais le traitement entraîna la mort de nombreux oiseaux aquatiques comme les grèbes. Sur 1 000 couples il n'en est resté qu'une vingtaine.

B. L'explication des scientifiques

Pour comprendre, les scientifiques ont fait des dosages de DDT dont les résultats figurent ci-dessous :

Quantité d'insecticide (en mg/kg)	
• Eau	0,015
• Algues microscopiques	5
• Poissons végétariens	42
• Poissons carnivores	336
• Grèbes	2 700

1. Explique pourquoi une très faible dose de DDT vaporisé sur l'eau a provoqué la mort des grèbes.

2. D'après toi pourquoi les poissons ne sont-ils pas morts ?

3. Pourquoi parle-t-on de concentration progressive de l'insecticide le long d'une chaîne alimentaire ?

Compétence : Comprendre un texte et en dégager des informations.

2 Trouve l'âge de cet arbre

1. Décalque la photographie. Dessine avec précision les différentes couches annuelles de bois. Indique par une légende où est située l'écorce de l'arbre.

2. Quel était l'âge de cet arbre quand on l'a coupé ?

3. Cet arbre a été abattu en décembre 2009. Colorie la couche de bois qui s'est formée pendant l'année 2007.

4. Quelle est l'épaisseur de la couche de bois formée en 2004 ?

Compétence : Comprendre une photographie, réaliser un dessin avec légende.

Le ciel et la Terre

Sur ce tableau de George de La Tour (1592-1652), observe les zones éclairées et les zones d'ombres. À ton avis, pourquoi y a-t-il ces ombres ?

Des questions, des échanges...

➡ À quelles conditions peut-on observer des ombres sur un mur ou sur le sol ?

➡ Comment se forme une ombre ?

➡ Quel trajet suivent les rayons de lumière ?

Deux problèmes à résoudre

➡ Comment obtenir une ombre sur un écran ?

➡ Comment faire varier la forme et la taille des ombres d'un même objet ?

Comment obtenir une ombre ?

Doc **1** **Deux éclairages différents.**

Doc **2** **Un théâtre d'ombres.**

Avec des objets, un écran et une lampe, tu peux obtenir des ombres. Et avec un même objet, tu peux obtenir des ombres de formes différentes.

Obtenir des informations en mesurant des ombres

Comment mesurer la hauteur d'un arbre ?

Nicolas et Marjorie ont mesuré, au Soleil, la longueur de l'ombre de trois piquets verticaux de hauteurs différentes connues et celle d'un arbre. Ils ont ensuite noté leurs résultats dans un tableau.

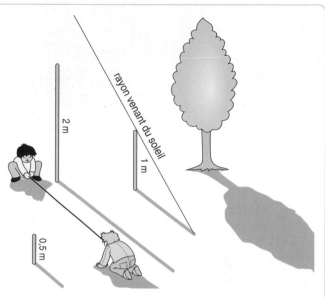

	Piquet A	Piquet B	Piquet C	Arbre
Hauteur (en cm)	50	100	200	
Longueur de l'ombre (en cm)	100	200	400	2 000

L'expérience de Margot et de Guillaume.

Margot et Guillaume ont observé l'ombre de carrés de carton sur un écran. Ils font des mesures quand l'ombre est carrée et notent leurs résultats dans un tableau.

Longueur de l'objet (en cm)	5	10	15	20
Longueur de l'ombre (en cm)	12	24	36	48

Activités

- Observe et compare les ombres des bonshommes (doc. **1**). Comment se forment-elles ?

- Comment sont obtenues les ombres dans le théâtre d'ombres (doc. **2**) ?

- Comment peut-on obtenir une ombre de même forme que l'objet ?

- Décris le déroulement de l'expérience de Nicolas et de Marjorie (doc. **3**).

- Compare les longueurs des ombres des piquets. Que remarques-tu ?

- Essaie d'en déduire la hauteur de l'arbre.

- Que peuvent conclure Margot et Guillaume à partir des résultats de leurs expériences (doc. **4**) ?

- Que se passe-t-il si l'on change la distance entre la lampe et la plaque ; et celle entre la plaque et l'écran ?

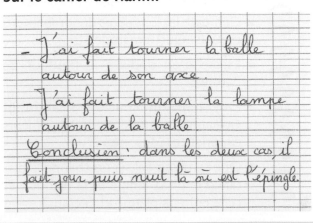

Lorsque la nuit tombe, les hommes éclairent leurs villages et leurs villes. Quels phénomènes naturels associés au jour et à la nuit connais-tu ?

Des questions, des échanges...

➡ Quand il fait jour là où tu es, où se trouve alors le Soleil ?

➡ Où se trouve le Soleil quand il fait nuit ?

➡ À ton avis, quand il fait nuit en Europe, fait-il nuit partout sur la Terre ?

Deux problèmes à résoudre

➡ Fait-il jour ou nuit partout sur Terre au même moment ? Pourquoi, en un lieu sur la Terre, fait-il jour, puis nuit, et à nouveau jour, puis nuit ?

Le mouvement de la Terre en 24 heures

Doc 1 **La Terre vue du ciel.**

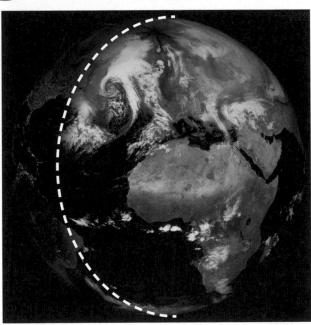

Cette photographie a été prise vers 10 h du matin (heure de Paris) depuis un satellite. La partie sombre correspond à une partie de la Terre non éclairée à ce moment par le Soleil.

On peut reproduire le phénomène sur une maquette. L'épingle se situe en Europe. Cette maquette peut aider à expliquer l'alternance jour-nuit.

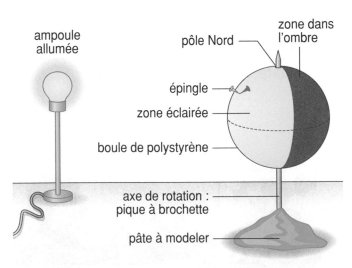

ampoule allumée

pôle Nord

zone dans l'ombre

épingle

zone éclairée

boule de polystyrène

axe de rotation : pique à brochette

pâte à modeler

Sur le cahier de Karim.

- J'ai fait tourner la balle autour de son axe.
- J'ai fait tourner la lampe autour de la balle
Conclusion : dans les deux cas, il fait jour puis nuit là où est l'épingle.

L'explication des scientifiques

L'alternance du jour et de la nuit s'explique par la rotation de la Terre sur elle-même, en 24 heures. L'axe de rotation de la Terre passe par les pôles Nord et Sud.

Dans quel sens la Terre tourne-t-elle ?

Doc **2** Au-dessus de l'Europe et de l'Afrique, au cours d'une journée.

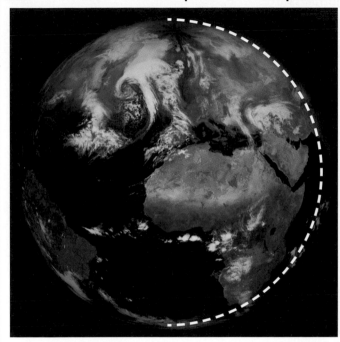

Vers 14 h à Paris

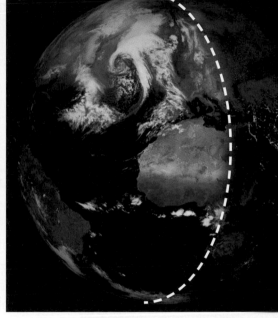

Vers 18 h à Paris.

Doc **3** Matin, après-midi ou soir ?

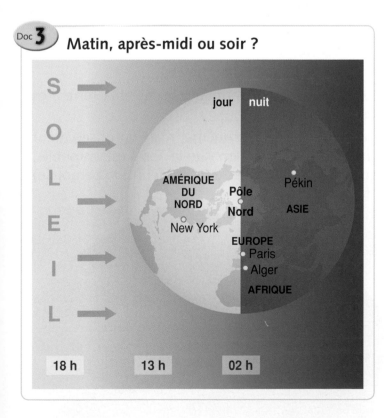

Activités

- Repère les zones de la Terre éclairées par le Soleil (doc. **1**) et celles qui sont dans la nuit. Comment l'expliquer ?

- Décris et reproduis la maquette (doc. **1**). Explique pourquoi il ne fait pas jour au même moment partout sur la Terre.

- Que peut-on bouger, et comment, pour expliquer l'alternance jour-nuit au même endroit sur la Terre (doc. **1**)?

- Compare avec l'explication des scientifiques (doc. **1**).

- Dans quel sens dois-tu tourner la boule-Terre pour faire entrer l'Europe et l'Afrique dans la nuit (doc. **1** et **2**) ?

- Mets en correspondance les heures avec les villes de Paris, Alger, New York et Pékin (doc. **3**).

Reconnais-tu les étoiles des constellations de la Grande Ourse et de la Petite Ourse ? À ton avis, ces étoiles resteront-elles au même endroit toute la nuit ?

La nuit, les étoiles tournent dans le ciel

Doc 1

Les étoiles tournent autour de l'étoile polaire.

La photographie ci-contre du ciel nocturne a été prise en pointant l'appareil photographique vers l'étoile polaire. Le temps de pose a été environ de 5 heures.

Le dessin donne les positions de la Grande Ourse et de la Petite Ourse.

Doc 2 **Ce parapluie remplace le ciel.**

L'étoile polaire est au bout du manche et la Terre près de la poignée.

La Terre tourne sur elle-même, mais un observateur sur la Terre a l'impression que la Terre est immobile, et que ce sont les étoiles dans le ciel (ici le parapluie) qui tournent.

3 h
24 h (0 h)
21 h
Étoile Polaire
Petite Ourse
Grande Ourse

La Petite Ourse, la Grande Ourse sont des constellations comprenant chacune plusieurs étoiles, dont 7 sont bien visibles.

Des astres « se lèvent », puis « se couchent »

Doc 3 **En France métropolitaine, un relevé à réaliser un jour de Soleil.**

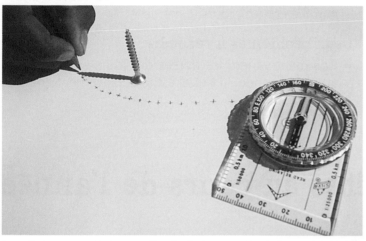

Le côté rouge de l'aiguille de la boussole indique la direction du nord.

Sur le cahier de Luc

> J'ai utilisé une lampe, placée toujours à la même distance de la vis, et je l'ai bougée pour retrouver les ombres du relevé.
> Conclusion : vu de la Terre, le Soleil se déplace de l'est vers l'ouest. Il monte dans le ciel, puis redescend. Il culmine dans la direction du sud.
>
> sud

Doc 4 **Une expérience pour expliquer.**

Le lieu d'observation est indiqué par un papier, avec les points cardinaux. Quand on tourne la boule-Terre devant la lampe, l'ombre de l'épingle se déplace comme sur le relevé fait au Soleil.

Activités

- Pourquoi obtient-on des arcs lumineux et non des points sur la photographie (doc. **1**) ?
- Pourquoi l'étoile polaire est-elle toujours au même endroit dans le ciel, si on reste au même endroit sur la Terre ? Et pourquoi les autres étoiles tournent-elles autour d'elle (doc. **2**) ?
- Comment le relevé (doc. **3**) est-il obtenu ?

- Décris les déplacements de l'ombre et du Soleil au cours de la journée (doc. **3**).
- Quel mouvement de la Terre explique les déplacements de l'ombre de l'épingle (doc. **4**) ?
- D'autres astres (Lune, planètes, …) semblent-ils se déplacer comme le Soleil au cours d'une journée ou d'une nuit ?

Des questions, des échanges...

➡ Les jours et les nuits ont-ils toujours la même durée ?

➡ À quelles saisons sont-ils les plus courts ? et les plus longs ?

➡ Le déplacement apparent du Soleil au cours d'une journée est-il toujours le même ?

Deux problèmes à résoudre

➡ Comment varient les durées des jours et des nuits au fil de l'année ? Et quel est le déplacement apparent du Soleil ?

Le Soleil « se couche » : il est 20 h 15. À ton avis, « se couche-t-il » toujours à la même heure sur ce bord de mer ?

Des observations faites au cours de l'année

Doc 1 La longueur du jour varie au cours de l'année.

	Heure de lever du Soleil à Paris	Heure de coucher du Soleil à Paris
10 février	7 h 09	17 h 01
21 mars	5 h 53	18 h 03
10 mai	4 h 18	19 h 17
21 juin	3 h 49	19 h 56
10 août	4 h 37	19 h 14
21 septembre	5 h 37	17 h 50
10 novembre	6 h 53	16 h 15
21 décembre	7 h 43	15 h 54

le 21 mars — jour 12 h / nuit 12 h

le 21 juin — jour 16 h / nuit 8 h

le 21 septembre — jour 12 h / nuit 12 h

le 21 décembre — jour 8 h / nuit 16 h

Doc 2 En France métropolitaine, le déplacement apparent du Soleil.

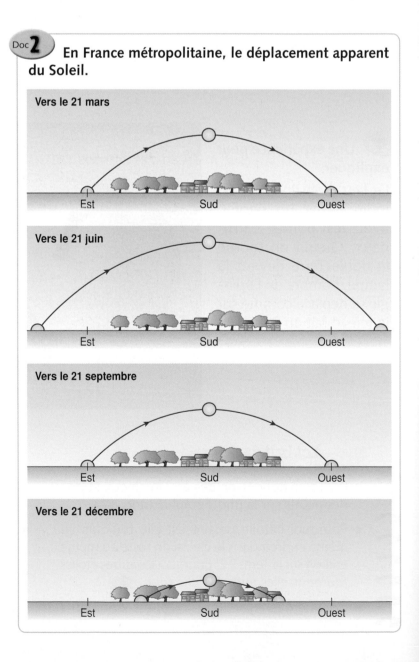

Vers le 21 mars — Est / Sud / Ouest

Vers le 21 juin — Est / Sud / Ouest

Vers le 21 septembre — Est / Sud / Ouest

Vers le 21 décembre — Est / Sud / Ouest

Qu'est-ce qui change d'une saison à l'autre ?

Doc 3 **Le déplacement apparent du Soleil aux solstices et aux équinoxes, en Europe.**

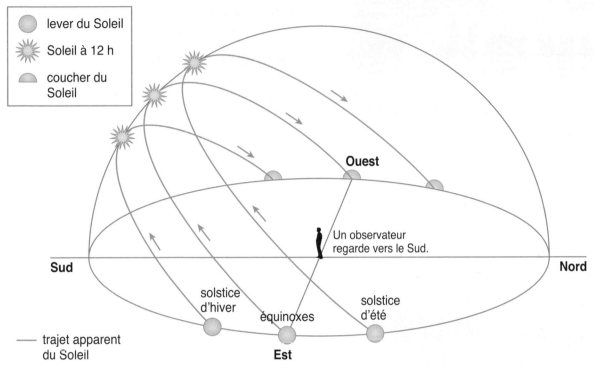

Quatre dates marquent le début des saisons :

• les équinoxes de printemps et d'automne (vers le 21 mars et le 21 septembre) ;
• les solstices d'été et d'hiver (vers les 21 juin et 21 décembre).

Doc 4 **Pourquoi fait-il plus chaud en été qu'en hiver ?**

En Europe, la surface de la Terre reçoit davantage d'énergie du Soleil en été qu'en hiver pour deux raisons :

• le jour dure plus longtemps ;
• à la même heure, un même « cylindre » de lumière transfère de l'énergie à une surface de sol plus petite en été qu'en hiver.

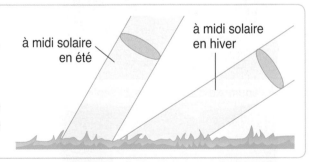

Activités

• D'après les données (doc. **1**), comment varie la durée du jour au cours de l'année ? À quelle date est-elle la plus courte ? la plus longue ? Quand les durées du jour et de la nuit sont-elles quasiment les mêmes ?

• Compare les hauteurs de culmination pour les quatre dates du document **2**.

• Décris le déplacement apparent du Soleil aux solstices et aux équinoxes en Europe (doc. **2** et **3**).

• Donne les raisons pour lesquelles, en moyenne, il fait plus chaud en été qu'en hiver (doc. **4**).

Dans cette région située non loin du pôle Nord, le Soleil ne se couche pas pendant de longs mois : c'est le jour polaire. À ton avis, existe-t-il une nuit polaire ?

Des questions, des échanges...

➡ Pourquoi existe-t-il une nuit et un jour polaires dans les zones situées près des pôles Nord et Sud ?

➡ Pourquoi en Europe les nuits n'ont-elles pas toujours la même durée ?

➡ Et pourquoi le déplacement apparent du Soleil change-t-il au fil de l'année ?

Un problème à résoudre

➡ Comment interpréter les changements observés au fil de l'année ?

Le jour et la nuit aux pôles Nord et Sud

Doc 1 — Au cours de l'année.

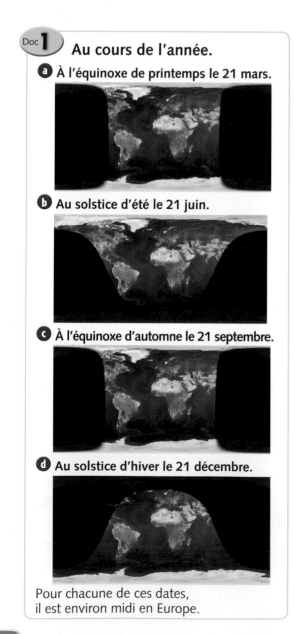

ⓐ À l'équinoxe de printemps le 21 mars.

ⓑ Au solstice d'été le 21 juin.

ⓒ À l'équinoxe d'automne le 21 septembre.

ⓓ Au solstice d'hiver le 21 décembre.

Pour chacune de ces dates, il est environ midi en Europe.

Doc 2 — Une maquette pour comprendre.

Ilyes a reporté la limite jour-nuit sur un globe puis a dessiné le globe sur son cahier.

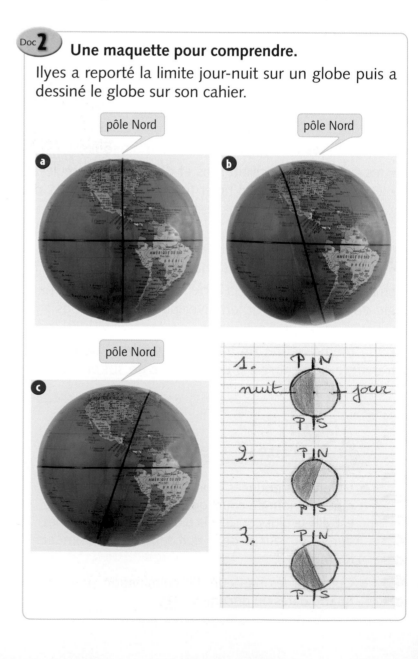

pôle Nord

pôle Nord

pôle Nord

La Terre tourne autour du Soleil

Doc 3 **D'après les scientifiques, la trajectoire de la Terre autour du Soleil est quasiment un cercle.**

La Terre fait un tour autour du Soleil en une année, qui dure 365 jours et 6 heures.
Le dessin ci-dessous est en perspective. L'axe des pôles terrestres garde toujours la même direction.

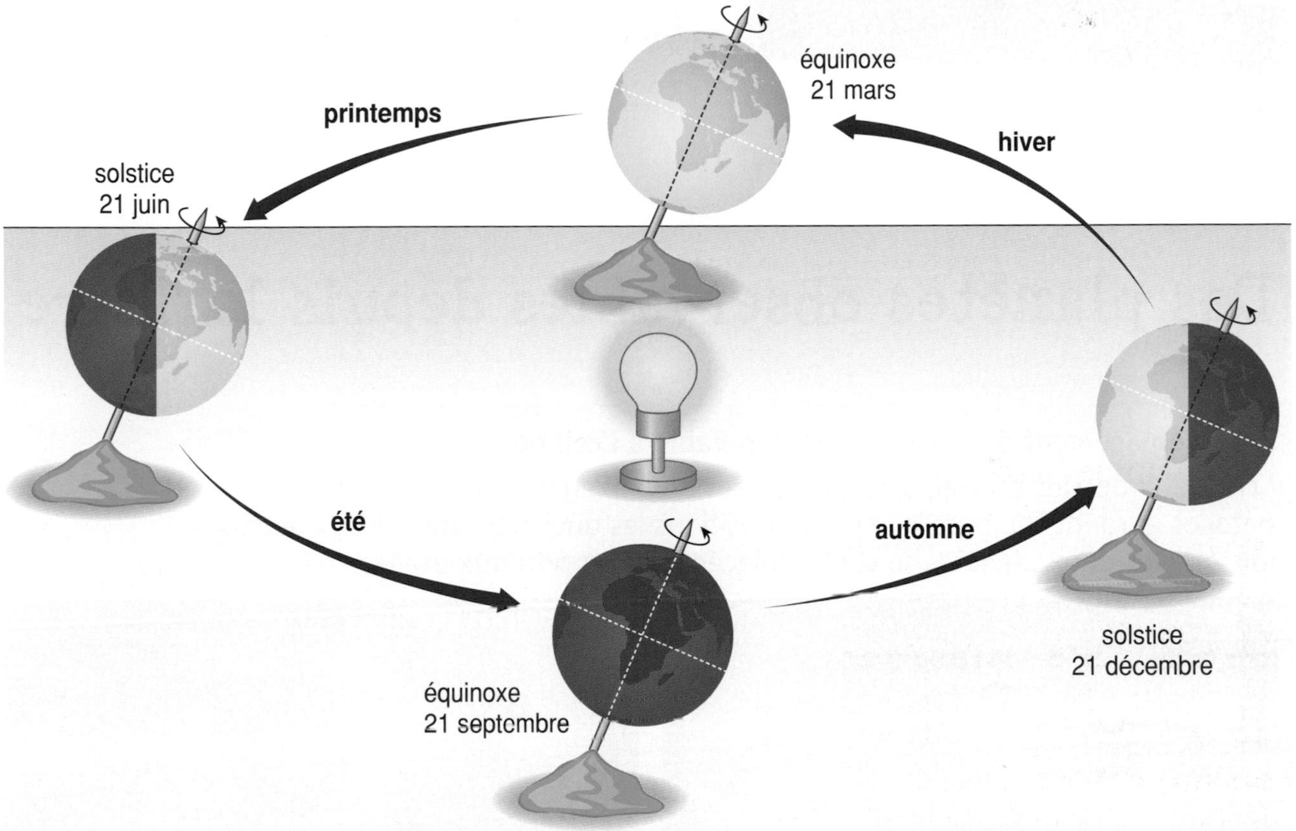

équinoxe
21 mars

printemps

hiver

solstice
21 juin

été

automne

équinoxe
21 septembre

solstice
21 décembre

a La limite jour-nuit passe les deux pôles Nord et Sud.

b La limite jour-nuit ne passe pas par les pôles. Les régions voisines du pôle Sud restent dans la nuit quand la Terre tourne sur elle-même.

c La limite jour-nuit ne passe pas par les pôles. Les régions voisines du pôle Nord restent dans la nuit quand la Terre tourne sur elle-même.

Activités

● Sur les cartes (doc. **1**), où se trouvent les pôles Nord et Sud ? Compare les limites du jour et de la nuit sur ces 4 cartes.

● Mets en correspondance les cartes et les globes préparés par Ilyes. Que remarques-tu pour les pôles terrestres (doc. **2**) ?

● À quelles dates correspondent les trois dessins du cahier d'Ilyes (doc. **2**) ?

● Décris le mouvement que fait la Terre en une année (doc. **3**).

● Reproduis sur une maquette le mouvement de la Terre autour du Soleil (doc. **3**). Observerait-on une nuit et un jour polaire si l'axe de la Terre était perpendiculaire au plan de sa trajectoire autour du Soleil ?

● Mets en relation les étiquettes (doc. **3**) et les dates des solstices et des équinoxes (doc. **1** et **3**).

Cette photographie de la planète Saturne a été prise au télescope. Sais-tu quel aspect a Saturne quand on l'observe à l'œil nu ?

Des questions, des échanges...

➡ Connais-tu d'autres planètes du Soleil que Saturne ?

➡ Les as-tu déjà observées dans le ciel ? ou sur des photographies ?

➡ La Terre est-elle une planète du Soleil ?

➡ Quelle différence fais-tu entre une étoile et une planète ?

Un problème à résoudre

➡ Comparer les planètes du Soleil et leurs mouvements.

Des planètes observables depuis la Terre

Doc 1 **Le déplacement des planètes est repérable à l'œil nu.**

Sur ces deux dessins du ciel, on peut repérer deux planètes et des étoiles.
Les étoiles gardent toujours les mêmes positions les unes par rapport aux autres,
tandis que les deux planètes se sont déplacées par rapport aux étoiles.

3 avril 2010 vers 1 h

3 mai 2010 vers 23 h

Doc 2 **La planète Mars.**

À l'œil nu, les planètes ressemblent à des étoiles.

Observées au télescope, les étoiles restent des points lumineux, tandis qu'on peut voir les planètes sous forme de disque, avec des détails.

La Terre est une des planètes du Soleil

Doc 3 **Les trajectoires des planètes autour du Soleil.**

Huit planètes tournent autour du Soleil, dans le même sens, presque dans le même plan, et sur des trajectoires qui sont quasiment des cercles.

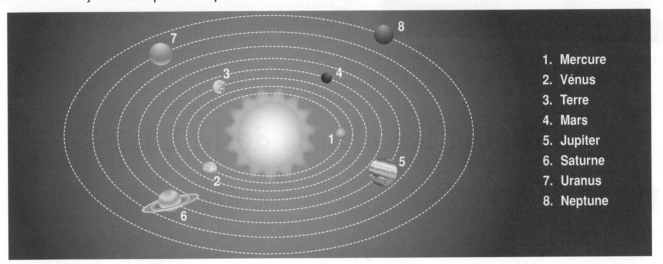

1. Mercure
2. Vénus
3. Terre
4. Mars
5. Jupiter
6. Saturne
7. Uranus
8. Neptune

Doc 4 **Des données pour comparer les planètes du Soleil.**

Planètes	Distance au Soleil (en millions de kilomètres)	Diamètre (en kilomètres)	Durée d'une révolution (en jours)
Mercure	58	4 900	88
Vénus	110	12 200	225
Terre	150	12 750	365
Mars	230	6 760	687
Jupiter	780	143 000	4 333
Saturne	1 400	120 000	10 760
Uranus	2 900	52 000	30 600
Neptune	4 500	49 000	60 190

Doc 5 **Quelles sont les planètes rocheuses ?**

La Terre est une planète rocheuse. C'est aussi le cas de Mercure, Vénus et Mars. Les autres planètes, dites gazeuses, n'ont pas de sol : un engin d'exploration peut entrer dans leur atmosphère, mais il ne peut pas se poser.

Activités

- Comment peut-on différencier des étoiles et une planète à l'œil nu (doc. **1**) ?
- Comment apparaît une étoile observée dans un télescope ? et une planète (doc. **2**) ?
- Fais la liste des planètes du Soleil de la plus proche du Soleil à la plus éloignée, puis de la plus petite à la plus grosse (doc. **3** et **4**).

- Réalise une maquette du système planétaire en représentant 1 million de kilomètres par 10 cm. Dois-tu la réaliser dans la classe ou dans la cour de l'école (doc. **4**) ?
- Parmi les planètes du Soleil, lesquelles ont un sol rocheux (doc. **5**) ?

La Lune tourne

Des questions, des échanges...

➡ As-tu déjà observé la Lune ? Est-elle toujours visible quand il n'y a pas de nuages ?

➡ Quelles formes la partie visible peut-elle avoir ?

➡ Peut-on voir en même temps la Lune et le Soleil ?

Un problème à résoudre

➡ Pourquoi la partie visible de la Lune change-t-elle de forme ?

Quelle forme a la partie visible de la Lune sur cette photographie ? Sais-tu pourquoi ?

Repère les phases de la Lune

Doc 1 — La Lune change de forme de jour en jour.

Toutes ces photographies ont été prises depuis la Terre.

La Lune ne produit pas de lumière ; elle est éclairée par le Soleil. Depuis la Terre, nous voyons la Lune bien ronde (la Pleine Lune **d** : PL), ou un croissant (**a** et **f**), soit la moitié d'un disque (un quartier en **b** et **e**), ou rien du tout.

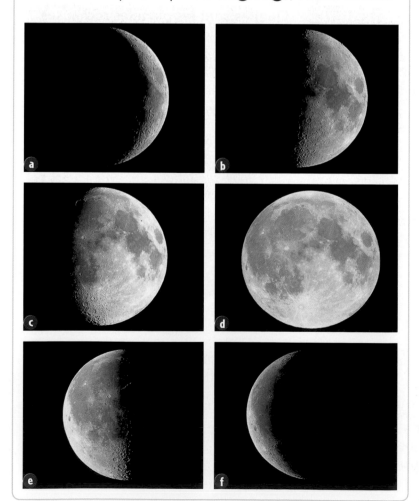

Doc 2 — Des informations données pour un calendrier.

NOVEMBRE			
Les jours diminuent de 1 h 15 min			
1	L	TOUSSAINT	
2	M	Défunts	
3	M	Hubert	
4	J	Charles Borromée	
5	V	Sylvie	
6	S	Léonard	●
7	D	Carine	
8	L	Geoffroy	
9	M	Théodore	
10	M	Léon	
11	J	ARMISTICE 1918	
12	V	Christian	
13	S	Brice	☽
14	D	Sidoine	
15	L	Albert	
16	M	Marguerite	
17	M	Élisabeth	
18	J	Aude	
19	V	Tanguy	
20	S	Edmond	
21	D	Christ-Roi	○
22	L	Cécile	
23	M	Clément	
24	M	Flora	
25	J	Catherine Labouré	
26	V	Delphine	
27	S	Séverin	
28	D	Avent	☾
29	L	Saturnin	
30	M	André	
Hiver : le 21 déc. à 23 h 38			

DÉCEMBRE			
Les jours diminuent de 18 min			
1	M	Florence	
2	J	Viviane	
3	V	François-Xavier	
4	S	Barbara	
5	D	Gérald	●
6	L	Nicolas	
7	M	Ambroise	
8	M	Imm. Conception	
9	J	Pierre Fourier	
10	V	Romaric	
11	S	Daniel	
12	D	Corentin	
13	L	Lucie	☽
14	M	Odile	
15	M	Ninon	
16	J	Alice	
17	V	Judicaël	
18	S	Gatien	
19	D	Urbain	
20	L	Théophile	
21	M	Pierre Canisius	○
22	M	Françoise-Xavière	
23	J	Armand	
24	V	Adèle	
25	S	NOËL	
26	D	Sainte Famille	
27	L	Jean l'Apôtre	
28	M	Innocents	☾
29	M	David	
30	J	Roger	
31	V	Sylvestre	

Premier Quartier b (PQ) : la moitié droite de la Lune est visible.

Dernier Quartier e (DQ) : la moitié gauche de la Lune est visible.

c correspond à une Lune gibbeuse

La Lune est un satellite naturel de la Terre

Doc 3 **Comment expliquer les phases de la Lune ?**

La Lune est un satellite de la Terre, c'est-à-dire qu'elle tourne autour de la Terre.

L'expérience de Marie permet de comprendre comment ce mouvement permet, depuis la Terre, d'observer les différentes phases de la Lune.

La balle remplace la Lune.
La lampe remplace le Soleil.
La tête de Marie remplace la Terre.

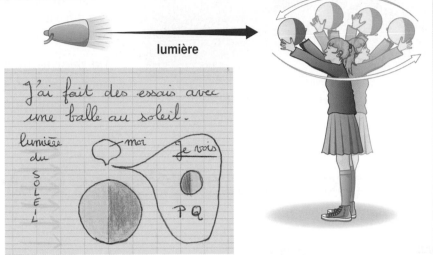

Doc 4 **Deux représentations à mettre en relation.**

Vue depuis l'extérieur du système Terre, Lune et Soleil.

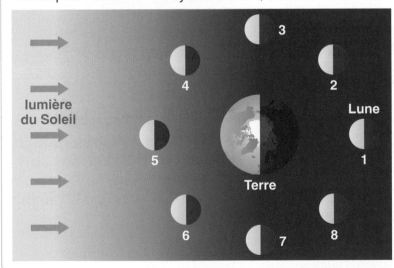

Vue depuis la Terre.

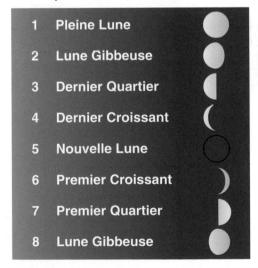

1 Pleine Lune
2 Lune Gibbeuse
3 Dernier Quartier
4 Dernier Croissant
5 Nouvelle Lune
6 Premier Croissant
7 Premier Quartier
8 Lune Gibbeuse

Activités

- Observe la Lune tous les jours pendant deux mois et dessine-la. Place les lettres des photographies du document **1** sur ton relevé.

- Cherche sur le calendrier (doc. **2**) à quelles dates on aurait pu faire les photographies du document **1**. Combien de jours séparent deux phases identiques ?

- Décris l'expérience de Marie (doc. **3**) et réalise-la au Soleil ou avec une lampe pour retrouver sur la balle les phases de la Lune. Complète son compte-rendu pour d'autres phases (PL ; NL ; PQ). Compare avec le document **4**.

- D'après l'ensemble des documents, dans quel sens la Lune tourne-t-elle autour de la Terre ? Combien de temps dure un tour ?

Sais-tu pourquoi certaines constructions résistent mieux que d'autres aux tremblements de terre ?

Des questions, des échanges…

➡ Qu'est-ce qu'un séisme ?

➡ Pourquoi les tremblements de terre font-ils tant de victimes ?

➡ Cite des noms de volcans que tu connais. Sont-ils actifs ou en sommeil ? Cherche leur emplacement sur une carte.

Le problème à résoudre

➡ Que peut-on faire pour se protéger des volcans et des tremblements de terre ?

Pourquoi certains séismes sont-ils si meurtriers ?

Doc 1 **Un séisme récent à Haïti, en janvier 2010.**

Un violent séisme a ravagé Haïti

16 h 53

heure locale, 22 h 53, heure de Paris, le séisme frappe pendant plus d'une minute. L'épicentre se situe à seulement 15 km à l'ouest de Port-au-Prince, la capitale surpeuplée du pays.

7 C'est la magnitude du séisme sur l'échelle de Richter selon l'Institut américain de géophysique. Il aurait été suivi d'une trentaine de répliques, allant jusqu'à une magnitude de 5,5.

« J'ai vu un nombre bouleversant de cadavres. Les habitants se sont regroupés dans les rues et tentent de se réconforter mutuellement. »

« …Des écoles se sont effondrées. Des hôpitaux se sont effondrés… »

500 000 SANS-ABRI

Le séisme qui a frappé Haïti a fait au moins 500 000 sans-abri dans la seule ville de Port-au-Prince où ils occupent 447 camps de fortune, …

Doc 2 **Des milliers de victimes.**

Il est rare qu'une année s'écoule sans qu'un séisme meurtrier ne survienne dans un pays ou dans un autre. En voici quelques exemples.

- **Janvier 2001 :** 25 000 morts dans le Gujarat, en Inde.
- **Décembre 2003 :** 31 000 morts dans la ville de Bam, en Iran.
- **Décembre 2004 :** un séisme au large de Sumatra en Indonésie déclenche un tsunami gigantesque qui fait plus de 220 000 morts en Asie du Sud-Est.
- **Octobre 2005 :** 75 000 morts au Pakistan et en Inde.
- **Mai 2006 :** près de 6 000 morts à Java en Indonésie.
- **Janvier 2010 :** plus de 200 000 morts à Port-au-Prince, en Haïti.

Pourquoi certaines éruptions volcaniques sont-elles meurtrières ?

Doc 3 **Des éruptions volcaniques meurtrières.**

Le 8 mai 1902, la nuée ardente issue de la montagne Pelée est arrivée sur la ville de Saint-Pierre à 600 km/h. En moins de deux minutes, sur les 28 000 habitants présents dans la ville, deux seulement ont survécu, protégés par les murs épais de leur cachot. Cette année-là, quatre autres éruptions de la montagne Pelée firent au total 40 000 morts.

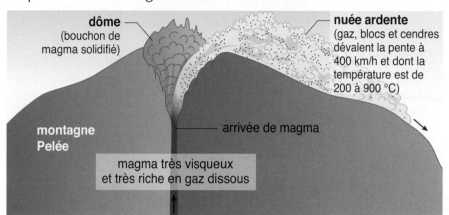

dôme
(bouchon de magma solidifié)

nuée ardente
(gaz, blocs et cendres dévalent la pente à 400 km/h et dont la température est de 200 à 900 °C)

montagne Pelée

arrivée de magma

magma très visqueux et très riche en gaz dissous

Doc 4 Les scientifiques connaissent bien les **zones à risques**, qu'elles soient sismiques ou volcaniques. Les recherches actuelles portent sur **les moyens de protéger** au maximum les populations présentes dans ces zones.

Tremblements de terre

• **Prévisions**
– Zones à risques importants bien connues.
– Causes bien étudiées.
– Pas de prévision possible dans le temps, phénomène toujours brutal.

• **Prévention**
– Constructions parasismiques dans les zones à risques.
– Information et éducation des habitants.
– Organisation des dispositifs de secours.

Éruptions volcaniques

• **Prévisions**
– Sur les 1300 volcans ayant eu une activité plus ou moins récente, 90 sont à haut risque et 50 font l'objet d'une surveillance permanente.
– Divers phénomènes précèdent l'éruption (activité sismique accrue, déformations du sol, émission de gaz s'échappant des fissures du volcan…).
– Les signaux recueillis par les appareils permettent une certaine prévision dans le temps.

• **Prévention**
– Information de la population sur les risques.
– Déplacement éventuel des habitants les plus menacés.

Activités

● Un séisme peut-il se produire n'importe où ?

● Dans quels cas un séisme fait-il beaucoup de victimes ?

● Peut-on prévoir l'endroit et la date d'un séisme ? Peut-on s'y préparer ?

● A-t-on des moyens de prévoir une éruption volcanique ?

J'ai découvert

Pages 98-99

La lumière et les ombres

• On observe des ombres sur un écran quand un objet opaque est placé entre une source de lumière et cet écran. La forme et la taille de l'ombre dépendent :

– de l'orientation de l'objet par rapport à la source et à l'écran ;

– des distances entre la source lumineuse et l'objet, entre l'objet et l'écran.

Si un objet plat est parallèle à un écran plat, ombre et objet ont la même forme.

• Les rayons de lumière sont en ligne droite. On peut ainsi prévoir la forme et la taille d'une ombre.

Pages 100 à 103

L'alternance jour-nuit

• Il ne fait pas jour sur la Terre partout au même moment. L'alternance des jours et des nuits en un lieu s'explique par la rotation de la Terre sur elle-même, autour de l'axe des pôles, en 24 heures (1 jour), dans le sens inverse des aiguilles d'une montre si l'on regarde la Terre au-dessus du pôle Nord.

• D'autres phénomènes observables sont dus à la rotation de la Terre sur elle-même :

– le déplacement apparent du Soleil dans le ciel de l'est vers l'ouest ;

– les variations (longueur et direction) de l'ombre des objets placés au Soleil, dans une journée ;

– le déplacement apparent des astres au cours du jour ou de la nuit (Soleil, Lune, étoiles, …) ;

– les décalages horaires entre divers lieux.

Pages 104 à 107

La révolution de la Terre autour du Soleil

• Tout au long de l'année, les jours et les nuits n'ont pas la même durée. Jour et nuit sont de durées égales aux équinoxes (vers le 21 mars et le 21 septembre). La nuit la plus longue a lieu au solstice d'hiver (vers le 21 décembre) et la plus courte au solstice d'été (vers le 21 juin).

• Le déplacement apparent du Soleil en un lieu change au cours de l'année. Il se lève à l'est et se couche à l'ouest aux équinoxes. En Europe, en hiver, il se lève entre le sud et l'est et se couche entre le sud et l'ouest ; en été, il se lève entre le nord et l'est et se couche entre le nord et l'ouest. Il culmine plus haut en été qu'en hiver.

• Près des pôles, il existe un jour et une nuit polaires, qui durent environ six mois.

• L'existence :

– des nuits et jours polaires ;

– de la variation, en Europe, de la durée des nuits ;

– des saisons ;

• s'explique par la révolution de la Terre autour du Soleil, en une année.

Pages 108-109

Des planètes tournent autour du Soleil

• Huit planètes (dont la Terre) tournent autour du Soleil, en suivant quasiment des cercles de diamètres différents, et dans le même plan. Ces planètes n'émettent pas de lumière comme le font les étoiles : on les voit car elles sont éclairées par le Soleil.

• De la plus proche à la plus éloignée du Soleil, on trouve : Mercure, Vénus, Terre, Mars, Jupiter, Saturne, Uranus, Neptune.

Pages 110-111

La Lune tourne autour de la Terre

• Vue de la Terre, la Lune présente des phases, qui se succèdent toujours dans le même ordre au cours d'une lunaison. Une lunaison dure entre 29 et 30 jours.

• Les phases de la Lune s'expliquent parce que la Lune, éclairée par le Soleil, fait un tour autour de la Terre en une lunaison.

J'utilise mes connaissances et mes compétences

1

En quelle saison sommes-nous ?

Dans la position occupée par cette maquette de la Terre et du Soleil, la France se trouve du côté de la lampe.

1. Les jours, en France, sont-ils alors plus longs que les nuits ?

2. Quelle est la saison en France ?

3. Est-ce la même chose en Afrique du Sud ?

Compétences : Lire un dessin, faire une comparaison.

2

Les phases de la Lune

| 15 mars | 23 mars | 25 mars | 30 mars |

1. Donne le nom des trois phases de la Lune qui ont été dessinées.

2. La Pleine Lune a lieu le 23 mars. Mets en correspondance les dates avec les deux autres phases. Justifie ta réponse.

Compétences : Lire un dessin, établir des mises en relations et les justifier.

4

Que dois-tu modifier sur ce dessin ?

Compétences : Lire un dessin, utiliser ses connaissances pour le rectifier.

3

Le ciel étoilé, au fil de l'année, vu de Paris

le 23 mai à 21 h 00.

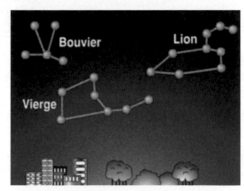

le 15 février à 21 h 00.

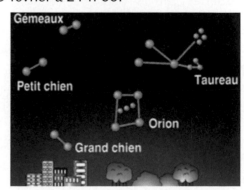

1. On ne voit pas les mêmes étoiles, à la même heure, tout au long de l'année. Quel mouvement de la Terre peut expliquer ces différences ?

2. Pourquoi ne voit-on pas les étoiles quand il fait jour ?

Compétences : Lire un dessin, faire une comparaison, proposer une explication et la justifier.

5 — L'ombre d'un bâton planté verticalement

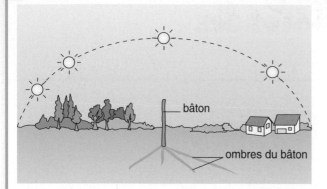

bâton

ombres du bâton

1. De quoi dépend la longueur de l'ombre de ce piquet ?

2. À quel moment de la journée le Soleil est-il le plus haut dans le ciel ? Et à quel moment de la journée l'ombre du bâton est-elle la plus courte ?

3. Ce dessin correspond à un lieu situé en Europe. Repère sur le dessin les directions du nord, du sud, de l'est et de l'ouest.

Compétences : Lire un dessin, établir des mises en relation et les justifier, utiliser ses connaissances pour compléter un dessin.

6 — Un cadran solaire

1. Sur ce cadran installé en France métropolitaine, l'ombre va-t-elle se déplacer au cours de la journée ? Pourquoi ?

2. Cette photographie a été prise l'après-midi. Où se trouvait l'ombre le matin ?

3. Expliquer comment on peut alors utiliser ce cadran solaire pour connaître l'heure donnée par le Soleil.

Compétences : Lire une photographie, utiliser ses connaissances pour faire des prévisions et les justifier, proposer une explication.

8 — Vrai ou faux ?

1. La succession des jours et des nuits s'explique par la rotation de la Terre sur elle-même.

2. Le même jour de l'année, la durée de la nuit n'est pas la même partout sur la Terre.

3. Le Soleil est une étoile.

4. C'est l'été au même moment sur toute la Terre.

5. Le Soleil se lève tous les jours à l'est et se couche tous les jours à l'ouest.

6. Les planètes se lèvent vers l'est et se couchent vers l'ouest.

Compétences : Lire un texte, utiliser ses connaissances pour le rectifier.

7

En été, au pôle Nord, le Soleil ne se couche pas : on peut voir « le soleil de minuit ». Il fait clair pendant 186 jours. Ce long jour polaire est suivi d'une nuit presqu'aussi longue.

1. Fais un dessin pour expliquer ces affirmations.

2. Y a-t-il une nuit polaire au pôle Sud ?

3. À quel moment de l'année a-t-elle lieu ?

Compétences : Lire un texte, proposer une explication, faire un dessin.

9 — À Paris et à Strasbourg

1. Le Soleil est à sa culmination à Paris. Culmine-t-il au même moment à Strasbourg ?

2. Sinon, la culmination à Strasbourg a-t-elle lieu avant ou après la culmination à Paris ? Quel mouvement de la Terre peut l'expliquer ?

Compétences : Proposer une explication et la justifier.

La matière

Des questions, des échanges...

➥ Énumère les différentes utilisations de l'eau dans une famille, dans une exploitation agricole, dans une ville.

➥ Chez toi, regarde le compteur d'eau et évalue la consommation quotidienne de ta famille.

➥ Aujourd'hui un Européen consomme 300 litres d'eau par jour alors qu'un habitant des pays en voie de développement en consomme 40 litres. Trouve des explications.

Le problème à résoudre

➥ D'où vient l'eau et quels en sont les usages ?

Sais-tu à quoi sert cette construction qu'on peut voir à proximité de certains villages ? Quel est son nom ?

L'eau, une ressource indispensable

Doc 1 Divers usages de l'eau.

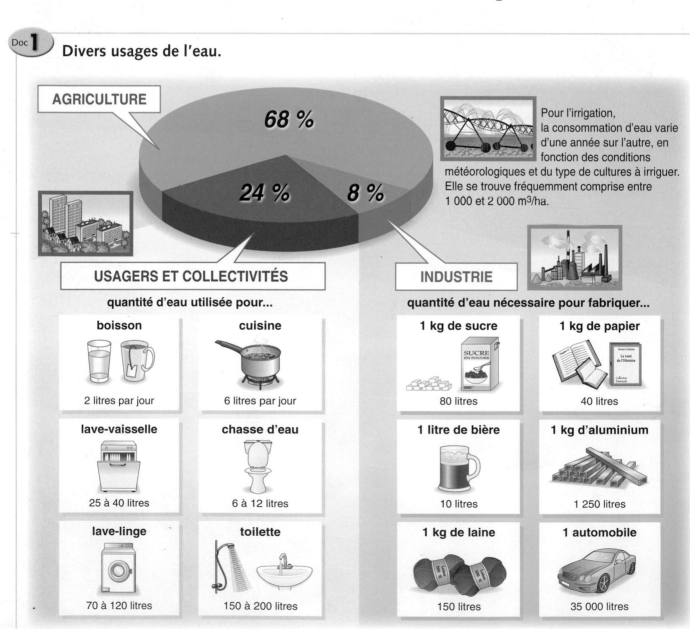

AGRICULTURE — 68 %

Pour l'irrigation, la consommation d'eau varie d'une année sur l'autre, en fonction des conditions météorologiques et du type de cultures à irriguer. Elle se trouve fréquemment comprise entre 1 000 et 2 000 m^3/ha.

USAGERS ET COLLECTIVITÉS — 24 %

INDUSTRIE — 8 %

quantité d'eau utilisée pour...

boisson	cuisine
2 litres par jour	6 litres par jour
lave-vaisselle	chasse d'eau
25 à 40 litres	6 à 12 litres
lave-linge	toilette
70 à 120 litres	150 à 200 litres

quantité d'eau nécessaire pour fabriquer...

1 kg de sucre	1 kg de papier
80 litres	40 litres
1 litre de bière	1 kg d'aluminium
10 litres	1 250 litres
1 kg de laine	1 automobile
150 litres	35 000 litres

D'où vient l'eau du robinet ?

Doc **2** **Des stations de pompage au réservoir d'eau potable.**

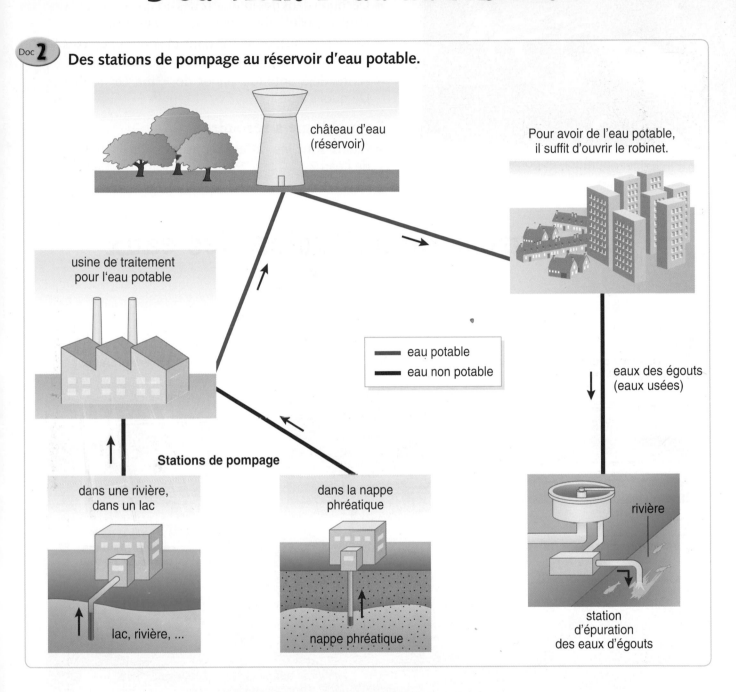

château d'eau
(réservoir)

Pour avoir de l'eau potable,
il suffit d'ouvrir le robinet.

usine de traitement
pour l'eau potable

eau potable
eau non potable

eaux des égouts
(eaux usées)

Stations de pompage

dans une rivière,
dans un lac

dans la nappe
phréatique

rivière

lac, rivière, ...

nappe phréatique

station
d'épuration
des eaux d'égouts

Activités

● Dans la vie de la famille, quels sont les moments où l'on consomme la plus grande quantité d'eau (doc. **1**) ?

● Quelles sont les industries grandes consommatrices d'eau (doc. **1**) ?

● Énumère les différentes étapes suivies par l'eau qui arrive au robinet (doc. **2**).

● Qu'appelle-t-on « eaux usées » ? Que deviennent-elles (doc. **2**) ?

● Qu'est-ce qu'une nappe souterraine (doc. **2**) ?

Essaie d'imaginer pourquoi ces poissons sont morts.

Des questions, des échanges...

➡ Découpe dans des journaux des articles décrivant des faits de pollution de l'eau et compare-les.

➡ Recherche autour de toi, dans ta commune, dans ta région des sources de pollution de l'eau.

➡ As-tu déjà entendu parler de « marée noire » ? De quoi s'agit-il ?

Le problème à résoudre

➡ Quels sont les différents aspects de la pollution de l'eau ?

Les sources de pollution des eaux sont variées

Doc **1**

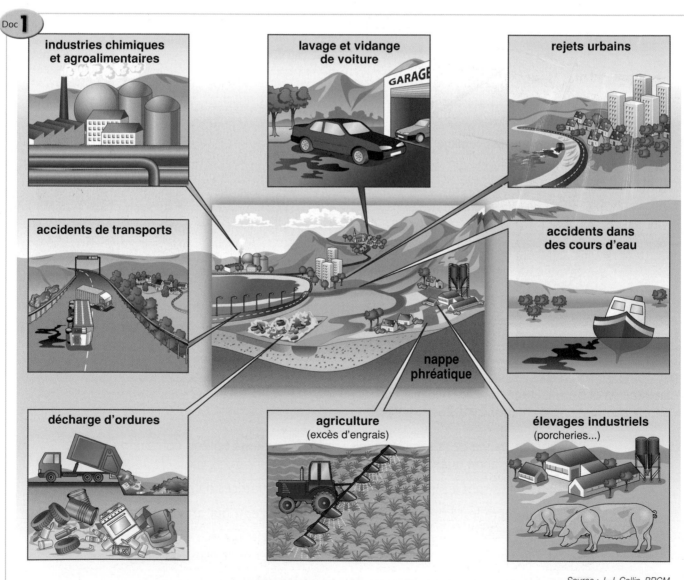

industries chimiques et agroalimentaires

lavage et vidange de voiture

GARAGE

rejets urbains

accidents de transports

accidents dans des cours d'eau

nappe phréatique

décharge d'ordures

agriculture (excès d'engrais)

élevages industriels (porcheries...)

Source : J.-J. Collin. BRGM

L'Homme face aux pollutions des eaux

Une curieuse pollution de rivière.

Pour accroître les rendements de leurs cultures, certains agriculteurs répandent de grandes quantités d'engrais. Cette pratique présente de graves dangers pour l'eau des rivières.

La pluie entraîne les engrais en excès. Les plantes aquatiques, suralimentées, prolifèrent et l'eau verdit. Sa teneur en oxygène diminue et la vie aquatique disparaît progressivement.

D'où vient la pollution des nappes souterraines par les nitrates ?

Le lisier provenant des déjections des élevages industriels d'animaux produit une très grande quantité de nitrates. L'épandage du lisier entraîne une surcharge de nitrates qui s'accumulent dans les eaux souterraines aussi bien que dans les eaux de surface.

La consommation régulière d'eau trop riche en nitrates peut avoir de graves conséquences sur la santé.

Des marées vertes inquiétantes.

De nombreuses plages de Bretagne voient se répéter tous les étés le phénomène dit des « marées vertes ». Les algues prolifèrent en très grande quantité en raison de l'afflux d'engrais apportés par les rivières jusqu'à la mer.

Activités

- Pour chacune des vignettes du document **1**, fais une phrase pour expliquer en quoi il s'agit d'une situation de pollution de l'eau.

- Peux-tu expliquer pourquoi sur le document **2** la rivière ressemble à un chemin de couleur verte ?

- Comment une telle situation a-t-elle pu se produire ? Quelles en sont les conséquences ?

- Compare ce phénomène à celui des « marées vertes ».

L'eau de cette fontaine est-elle « bonne » à boire ?

Des questions, des échanges...

➥ Que signifient les expressions : « eau potable », « eaux usées » ?

➥ L'eau qui coule aux robinets de la maison ou de l'école est-elle potable ?

➥ Peut-on rejeter nos eaux usées directement dans la nature ?

➥ Pourquoi paie-t-on l'eau ?

Le problème à résoudre

➥ Comment maintient-on la qualité de l'eau ?

La production d'eau potable

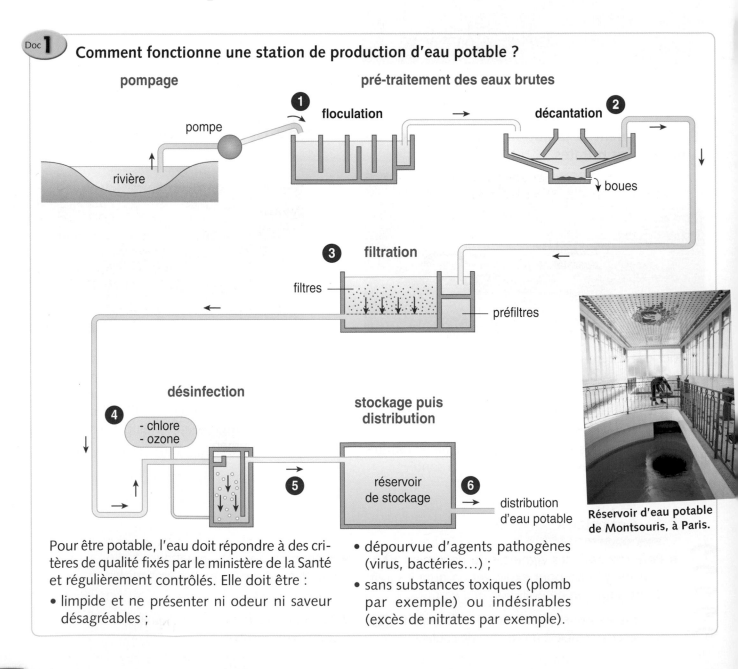

Doc 1

Comment fonctionne une station de production d'eau potable ?

pompage

pré-traitement des eaux brutes

❶ floculation

❷ décantation

pompe

rivière

boues

❸ filtration

filtres

préfiltres

désinfection

❹
- chlore
- ozone

stockage puis distribution

❺

❻

réservoir de stockage

distribution d'eau potable

Réservoir d'eau potable de Montsouris, à Paris.

Pour être potable, l'eau doit répondre à des critères de qualité fixés par le ministère de la Santé et régulièrement contrôlés. Elle doit être :

• limpide et ne présenter ni odeur ni saveur désagréables ;

• dépourvue d'agents pathogènes (virus, bactéries…) ;

• sans substances toxiques (plomb par exemple) ou indésirables (excès de nitrates par exemple).

Le traitement des « eaux usées »

Doc 2

Comment fonctionne une station d'épuration ?

Une station d'épuration permet de débarrasser les eaux d'égouts de 80%
de leurs déchets avant de les renvoyer dans les rivières, les lacs ou la mer.

Le traitement des eaux usées comporte :
• des traitements physiques (filtration, décantation…) ;
• un traitement biologique assuré par des microorganismes qui transforment la matière organique en matière minérale.

Le traitement primaire

*Il permet d'éliminer de l'eau les matières
en suspension (déchets, sable…) et les huiles.*

Une station d'épuration près de Thionville.

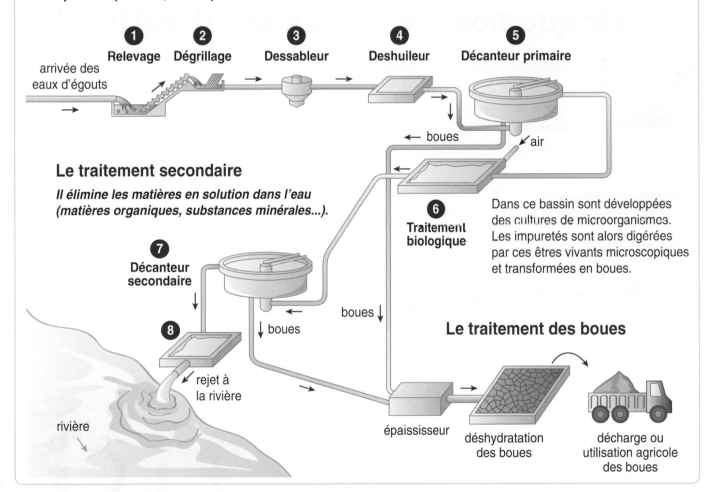

Le traitement secondaire
*Il élimine les matières en solution dans l'eau
(matières organiques, substances minérales…).*

Dans ce bassin sont développées
des cultures de microorganismes.
Les impuretés sont alors digérées
par ces êtres vivants microscopiques
et transformées en boues.

Le traitement des boues

Activités

• Fais la liste des différentes opérations
que l'eau subit avant d'arriver au robinet
(doc. **1**).

• Quels déchets une famille rejette-t-elle
dans les « eaux usées » qui vont dans les
égouts de la ville ?

• Énumère les différentes opérations qui se
déroulent dans une station d'épuration et
indique le rôle de chacune d'elles (doc. **2**).

• Apporte en classe une facture d'eau.
Qu'indique-t-elle ? Paie-t-on seulement
la quantité d'eau consommée ?

Dans les embouteillages à Paris. Que présente cette photographie ? Sais-tu ce qu'on appelle un « pic de pollution » ?

Des questions, des échanges...

➥ Qu'appelle-t-on pollution de l'air ?

➥ D'après toi, un air pollué est-il dangereux ? Pourquoi ?

➥ As-tu déjà entendu parler de « réchauffement climatique ? À quelle occasion ?

➥ Sais-tu ce qu'on appelle « l'effet de serre » ?

Le problème à résoudre

➥ Les pollutions de l'air ont-elles une influence sur le réchauffement climatique ?

L'air que nous respirons est-il pollué ?

Doc **1**

Qu'est-ce qu'un pic de pollution ?

Lorsque les conditions météorologiques sont défavorables, c'est-à-dire lorsque la couche d'air est stable à cause de l'absence de vent, les polluants peuvent s'accumuler surtout au-dessus des villes. Leur teneur dépasse alors les valeurs tolérées : c'est un **pic de pollution**.

Doc **2**

L'atmosphère des villes est sous haute surveillance.

La région parisienne possède 46 stations d'analyse de l'air à la recherche de différents polluants.

Chaque jour, 16 000 mesures sont effectuées et leurs résultats se traduisent par une « note » de 1 à 10 : c'est l'indice ATMO.

Une telle surveillance existe dans toutes les grandes agglomérations.

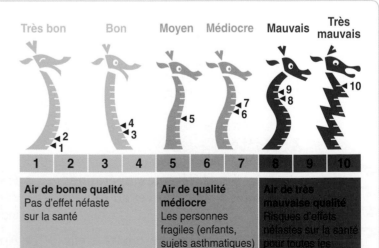

Très bon	Bon	Moyen	Médiocre	Mauvais	Très mauvais

1	2	3	4	5	6	7	8	9	10

Air de bonne qualité	Air de qualité médiocre	Air de très mauvaise qualité
Pas d'effet néfaste sur la santé	Les personnes fragiles (enfants, sujets asthmatiques) doivent prendre des précautions	Risques d'effets néfastes sur la santé pour toutes les personnes

Un gaz à effet de serre : le dioxyde de carbone

Doc 3 **Une constatation : la fonte des glaces s'accélère.**

Depuis 1978, les satellites dressent une carte quotidienne de la banquise.

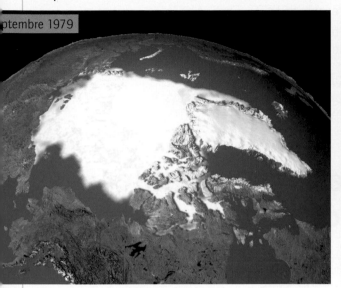

Septembre 1979

Septembre 2005

Doc 4 **Pollution atmosphérique et réchauffement de la planète.**

Le **dioxyde de carbone** est un des gaz à « effet de serre ». Son augmentation dans l'atmosphère est « parallèle » à celle de la température.

Pour limiter les effets du changement climatique, des solutions existent : diviser par quatre nos émissions de gaz à effet de serre avant 2050.

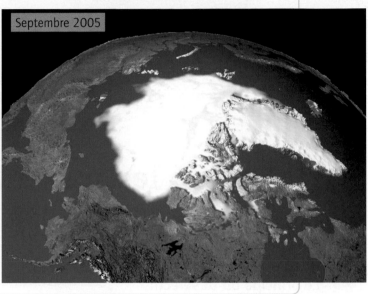

variations du CO_2 atmosphérique (ppm)
(1 % = 10 000 ppm)

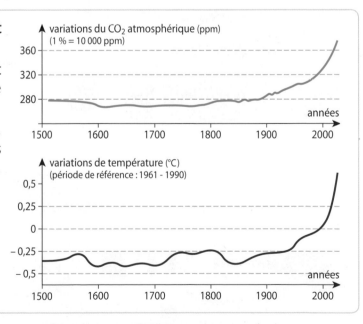

variations de température (°C)
(période de référence : 1961 - 1990)

Activités

- Quelles sont les sources de pollution de l'air ?
- Qu'est-ce que l'indice ATMO ? À quoi sert-il (doc. **2**) ?
- Explique ce qu'est l'effet de serre (doc. **4**).
- Quels sont les changements de comportement qui peuvent ralentir le réchauffement climatique (doc. **4**) ?

Tous ces emballages iront « grossir » nos poubelles. Que peut-on faire ?

Des questions, des échanges...

➥ Fais l'inventaire de ce qu'une famille met dans sa poubelle.

➥ Qu'appelle-t-on « ordures ménagères » ?

➥ Dans ta commune, y a-t-il des points d'apport volontaire, une déchetterie ? Où sont-ils situés ? Comment se présentent-ils ?

➥ Sais-tu ce qu'on appelle la « collecte sélective » des déchets ?

Le problème à résoudre

➥ Pourquoi faut-il trier ses déchets ?

Séparer les matériaux recyclables des autres déchets

Doc 1 **Le principe du tri sélectif.**

| Journaux, prospectus, magazines | Bouteilles, bocaux, pots en verre | Bouteilles en plastique, boîtes métalliques, briques alimentaires, barquettes aluminium |

Que deviennent les déchets triés ?

Doc 2 **Une deuxième étape s'effectue dans le centre de tri.**

Dans le centre de tri, la séparation des différents matériaux s'effectue de manière manuelle. Chaque trieur récupère un matériau précis (carton, acier, plastiques différents…) et le dépose dans un bac.

Doc 3 **Un exemple de recyclage.**

En 2005, le tri des emballages a permis de recycler 6 milliards de bouteilles et de flacons en plastique.

Chaque tonne de plastique recyclé fait économiser entre 600 et 800 kg de pétrole brut.

Avec 27 bouteilles en PVC, on peut faire un vêtement.

Activités

- Apporte en classe des emballages vides et classe-les en fonction des matériaux utilisés pour les fabriquer (verre, plastique, carton, aluminium…) (doc. **1**).
- Quels critères utilise-t-on pour trier les déchets ménagers (doc. **1**) ?
- Qu'est-ce que le recyclage (doc. **2** et **3**) ? Donne une définition à partir d'un exemple.
- Pourquoi un centre de tri est-il nécessaire alors que chaque habitant a déjà trié les matériaux à recycler (doc. **2**) ?
- Que peut-on faire pour réduire le volume de nos déchets ?

Le verre se recycle

Des questions, des échanges...

➡ Renseigne-toi sur les matières premières utilisées pour la fabrication du verre.

➡ Comment fabrique-t-on du verre ?

➡ Que signifie le mot « recyclage ?

Le problème à résoudre

➡ Quels avantages retire-t-on du recyclage du verre ?

As-tu déjà vu un souffleur de verre ? Que fait-il ?

Une histoire sans fin...

a Pots, bocaux et bouteilles en verre doivent être séparés des autres déchets. Attention ! La vaisselle, les vitres, les pots de fleurs... doivent être jetés dans la poubelle habituelle.

b Des conteneurs sont mis à la disposition des habitants. Le verre ainsi récupéré est transporté dans un centre de traitement.

Le verre se recycle

c Dans le centre de traitement, le verre est trié, débarrassé de ses impuretés, lavé puis concassé. Le produit ainsi obtenu est appelé calcin.

e Ces bouteilles neuves seront à nouveau remplies, puis se retrouveront dans les magasins et sur les tables des consommateurs.

d Le calcin, ajouté à diverses matières premières, est fondu dans des fours puis coulé dans des moules.

Trois bonnes raisons de recycler le verre

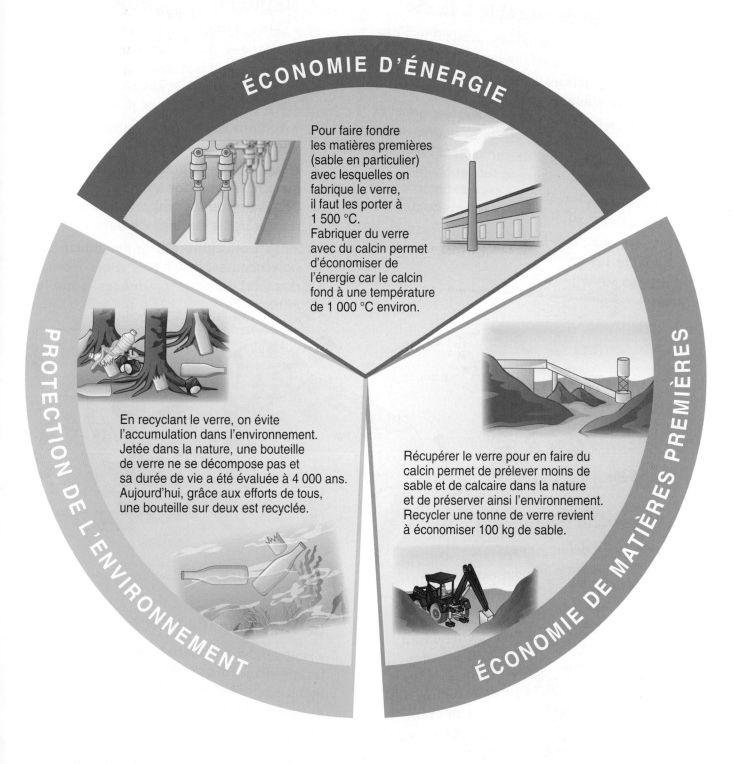

ÉCONOMIE D'ÉNERGIE

Pour faire fondre les matières premières (sable en particulier) avec lesquelles on fabrique le verre, il faut les porter à 1 500 °C. Fabriquer du verre avec du calcin permet d'économiser de l'énergie car le calcin fond à une température de 1 000 °C environ.

PROTECTION DE L'ENVIRONNEMENT

En recyclant le verre, on évite l'accumulation dans l'environnement. Jetée dans la nature, une bouteille de verre ne se décompose pas et sa durée de vie a été évaluée à 4 000 ans. Aujourd'hui, grâce aux efforts de tous, une bouteille sur deux est recyclée.

ÉCONOMIE DE MATIÈRES PREMIÈRES

Récupérer le verre pour en faire du calcin permet de prélever moins de sable et de calcaire dans la nature et de préserver ainsi l'environnement. Recycler une tonne de verre revient à économiser 100 kg de sable.

Activités

- Cite des produits alimentaires présentés dans des récipients de verre.
- Avec quels matériaux fabriquait-on le verre autrefois ?
- Quels avantages pour l'environnement présente le recyclage du verre ?
- Pourquoi dit-on que le verre peut se recycler à 100 % et à l'infini ?

J'ai découvert

Pages 118-119

L'eau est indispensable à la vie

• Dans nos pays industrialisés, la quantité d'eau consommée pour satisfaire les besoins domestiques, industriels ou agricoles est considérable et ne cesse d'augmenter.

• Une grande partie de cette eau est prélevée dans les cours d'eau, rivières et fleuves. Mais la pollution des eaux de surface par toutes les activités humaines les rend souvent impropres à la consommation et, pour devenir potables, ces eaux doivent subir des traitements coûteux.

• Aussi, chaque fois que cela est possible, on exploite les gisements d'eau souterraine (ou nappes souterraines).

Pages 120 à 123

Maintenir la qualité de l'eau

• Les pollutions de l'eau ont des origines variées. Ainsi, l'utilisation excessive d'engrais peut perturber gravement l'équilibre d'une rivière et entraîner la mort des êtres qui vivent dans ce milieu.

• Aujourd'hui, cette « autoépuration » n'est plus possible.

• Pour limiter la pollution des eaux, des stations d'épuration sont construites afin de débarrasser les eaux d'égouts de la plus grande partie de leurs déchets.

• Les pollutions d'origine industrielle doivent aussi être limitées ce qui nécessite des installations coûteuses pour les entreprises.

Pages 124-125

Les pollutions de l'air

• Depuis le début de l'ère industrielle, les activités humaines introduisent dans l'atmosphère une grande quantité de produits néfastes pour la santé ou polluants.

• Les pollutions de l'air affectent surtout les grandes agglomérations. Afin d'informer la population, l'atmosphère des villes est analysée en permanence (indice ATMO) et ainsi les personnes fragiles peuvent adapter leur comportement en fonction des pics de pollution annoncés.

• Les transports automobiles et aériens, les chauffages, les industries, ... utilisent de façon massive des combustibles qui rejettent dans l'atmosphère des gaz « à effet de serre ». Leur accumulation dans l'atmosphère entraîne un réchauffement de la planète qu'il faut tenter de maîtriser.

Pages 126 à 129

Le recyclage des déchets

• Huit sur dix des matériaux qui constituent les emballages des produits que nous consommons pourraient être recyclés. Très souvent encore, ils sont jetés dans la poubelle des ordures ménagères, et ensuite enfouis ou incinérés.

• Mais, avant de recycler, il faut trier ces emballages en fonction des matériaux utilisés.

• Depuis quelques années, les collectes sélectives des différents matériaux d'emballages sont organisées et les filières de recyclage peuvent alors se mettre en place.

J'utilise mes connaissances et mes compétences

1 Que contiennent nos poubelles ?

1. Fais la liste des matériaux contenus dans la poubelle en les ordonnant du plus abondant au moins abondant.

2. Que signifie l'expression « matières biodégradables » ?

3. La part des papiers et des cartons est importante. D'où proviennent-ils ?

4. Nous rejetons deux fois plus de déchets qu'il y a 40 ans. Trouve des explications à cette augmentation.

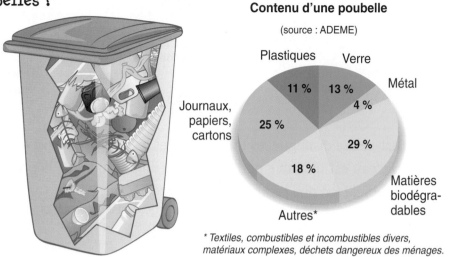

Contenu d'une poubelle

(source : ADEME)

Plastiques 11 %
Verre 13 %
Métal 4 %
Matières biodégradables 29 %
Autres* 18 %
Journaux, papiers, cartons 25 %

* Textiles, combustibles et incombustibles divers, matériaux complexes, déchets dangereux des ménages.

Compétence : Comprendre une représentation graphique, formuler des hypothèses.

2 Trier ses déchets

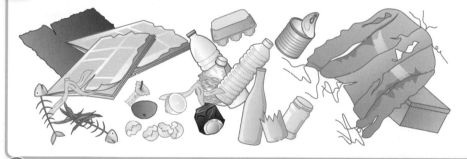

1. Parmi ces déchets ménagers, lesquels peuvent être recyclés ?

2. Après recyclage, que deviennent le verre et les plastiques ?

Compétence : Utiliser ses connaissances dans une situation nouvelle.

3 Que peut-on faire face à l'accumulation des déchets ?

Voici un extrait d'un dépliant distribué à la population par l'ADEME (Agence de l'Environnement et de la Maîtrise de l'Énergie).

1. En quoi ces conseils permettent-ils de réduire nos déchets ?

2. Quelles autres économies permettent-ils ?

Éviter les produits jetables à usage unique. Rasoirs, gobelets, assiettes en plastique...
Nous réduirons nos déchets et nos dépenses.

Économiser les piles.
Prenons l'habitude de nous brancher sur secteur à la maison : économie et durée de vie des baladeurs, lecteurs MP3, radios assurées.

Préférer les sacs réutilisables ou les cabas pour faire les courses.
Oublions les sacs de caisse !

Choisir les produits au détail ou en vrac, souvent moins chers que les produits préemballés, comme les fruits et légumes, fromage ou charcuterie à la coupe.

Choisir les produits avec moins d'emballage. L'important c'est le produit lui-même et pour l'environnement moins d'emballage, c'est important !

Compétence : Comprendre des textes et en tirer des informations.

J'utilise mes connaissances et mes compétences

4 Les réserves en eau de la planète

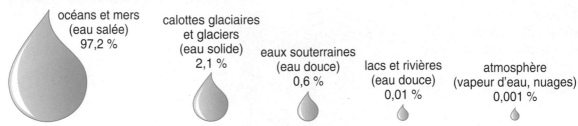

océans et mers (eau salée) 97,2 %

calottes glaciaires et glaciers (eau solide) 2,1 %

eaux souterraines (eau douce) 0,6 %

lacs et rivières (eau douce) 0,01 %

atmosphère (vapeur d'eau, nuages) 0,001 %

1. Qu'est-ce qui distingue les uns des autres les grands réservoirs d'eau de la planète ?

2. Quelle eau est utilisable pour les usages domestiques de la population ?

3. Pourquoi dit-on que l'eau est « une denrée » rare ?

Compétence : Comprendre un dessin et en tirer des informations.

5 Pour éviter la pollution des rivières

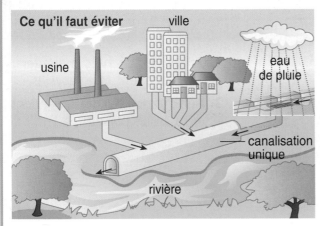

Ce qu'il faut éviter — ville — usine — eau de pluie — canalisation unique — rivière

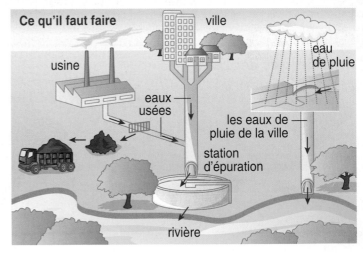

Ce qu'il faut faire — ville — usine — eaux usées — eau de pluie — les eaux de pluie de la ville — station d'épuration — rivière

1. Qu'appelle-t-on « eaux usées » ?

2. Que contiennent les eaux usées ?

3. Quelles sont les ressemblances et les différences entre les deux situations présentées ?

4. Pourquoi la première situation est-elle « à éviter » ?

Compétence : Établir des comparaisons.

6 L'air « intérieur » est-il pollué ?

Nous passons plus des trois quarts de notre temps dans des locaux ou des lieux fermés (habitation, salle de classe ou lieu de travail, voiture, magasins…)

Pourquoi faut-il aérer les locaux tous les jours ?

> **Ce qui s'accumule dans l'air d'une salle de classe**
>
> La pollution extérieure, la poussière de craie, les solvants des colles et des feutres, les rejets de dioxyde de carbone et les pollens produits par les plantes, l'humidité corporelle.

Compétence : Comprendre les informations données dans un texte et en dégager des conclusions.

L'énergie

Des questions, des échanges...

➡ As-tu déjà vu un moulin à vent ? Une éolienne ?

➡ À quoi peuvent-ils servir ?

➡ Compare l'usage et le fonctionnement d'une éolienne, d'un moulin à vent et d'un moulin à eau.

Un problème à résoudre

➡ Comparer des usages d'objets du quotidien. De quoi ont-ils tous besoin pour fonctionner ?

De quoi ce moulin a-t-il besoin pour fonctionner ? À ton avis, à quoi pouvait-il servir ? Connais-tu d'autres types de moulins ?

Rien ne peut se faire sans énergie

Doc 1 — Nous, êtres humains, avons aussi besoin d'énergie pour vivre et pour agir.

communiquer
chauffer
éclairer
mettre en mouvement

Place Vendôme de nuit, à Paris.

Des sources d'énergie à comparer

Doc 2 — **Des sources d'énergie non renouvelables.**

a Une tondeuse à essence   **b** Un camping-gaz   **c** Une centrale électrique à charbon

Doc 3 — **Des sources d'énergie renouvelables.**

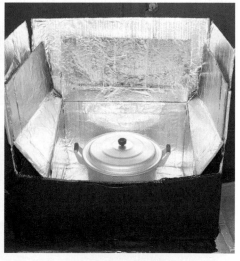

a Un voilier   **b** Une centrale hydroélectrique   **c** Un four solaire utilisé en Guinée

Activités

- Associe chaque photographie à un verbe désignant la fonction des objets représentés (doc. **1**) ?

- Quelle est la source d'énergie pour chacune des situations (doc. **1**, **2** et **3**) ?

- Que devient cette source d'énergie quand les objets ont fonctionné ?

- Comment peut-on différencier des sources d'énergie non renouvelables et des sources d'énergie renouvelables (doc. **2** et **3**) ?

As-tu déjà vu un alternateur de bicyclette comme celui-ci ? Qu'est-ce qui tourne quand il fonctionne ? À quoi sert-il ?

Des questions, des échanges…

➡ Connais-tu des moyens utilisés pour produire de l'électricité?

➡ Qu'est-ce qu'une centrale électrique ? En as-tu déjà vue ?

➡ D'après toi, quelles sources d'énergie peuvent être utilisées ?

Un problème à résoudre

➡ Quelles sources d'énergie peut-on utiliser pour produire de l'électricité ?

… à partir de sources d'énergie renouvelables

Doc 1 **Dans les centrales hydrauliques et dans les éoliennes,** une turbine en rotation entraîne un alternateur qui produit de l'électricité. Dans le bloc situé derrière les pales de l'éolienne et relié à leur axe de rotation se trouve l'alternateur.

Les **cellules photovoltaïques** transforment directement l'énergie de la lumière en électricité.

b Un champ d'éoliennes

a Une centrale hydroélectrique

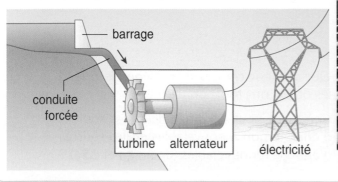

barrage

conduite forcée

turbine   alternateur

électricité

c Des cellules photovoltaïques

... à partir de sources d'énergie non renouvelables

Doc 2 Une centrale thermique fonctionnant au charbon.

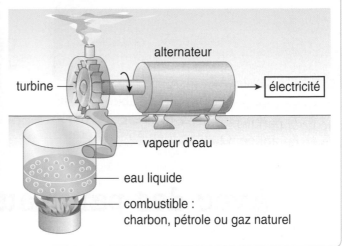

alternateur

turbine

électricité

vapeur d'eau

eau liquide

combustible :
charbon, pétrole ou gaz naturel

Doc 3 Une centrale thermique nucléaire.

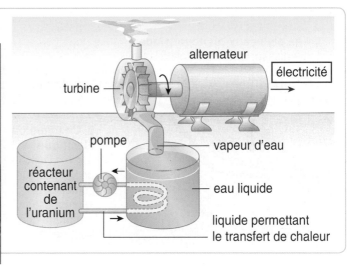

alternateur

turbine

électricité

pompe

vapeur d'eau

réacteur
contenant
de
l'uranium

eau liquide

liquide permettant
le transfert de chaleur

Doc 4 Production d'électricité en France, en 2008.

Production totale : 550 TWh

14 %

10 %

76 %

Origine nucléaire :
418 TWh

Origine fossile :
53 TWh

Sources
renouvelables :
78 TWh
(12 % hydraulique
et 2 % éolien)

1 TWh = 1 000 millions de kWh

Activités

- Quelles sont les sources d'énergie dans les installations (doc. **1** à **3**) ?

- Décris le fonctionnement d'une éolienne (doc. **1**).

- Quel appareil présent dans les centrales transforme le mouvement en électricité ? Quelle transformation a lieu avec les cellules photovoltaïques ?

- Compare les proportions des différentes sources d'énergie utilisées pour produire de l'électricité en France (doc. **4**).

Des questions, des échanges...

➥ Quelles sont les sources d'énergie renouvelables autres que le Soleil ?

➥ L'énergie du Soleil est gratuite, et pourtant la production d'énergie à partir du Soleil a un coût. Sais-tu pourquoi ?

Un problème à résoudre

➥ Comment peut-on utiliser le Soleil comme source d'énergie à la maison ?

Parmi les sources d'énergie renouvelables, le Soleil a encore la part la plus faible mais elle augmente d'année en année. Quel peut en être l'intérêt ?

Avec des panneaux photovoltaïques

Doc 1 **Un particulier peut revendre une partie de l'électricité produite.**

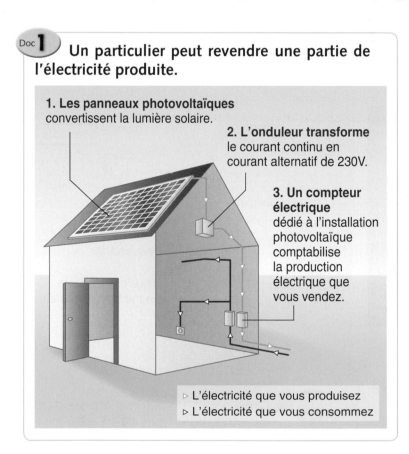

1. Les panneaux photovoltaïques convertissent la lumière solaire.

2. L'onduleur transforme le courant continu en courant alternatif de 230V.

3. Un compteur électrique dédié à l'installation photovoltaïque comptabilise la production électrique que vous vendez.

▷ L'électricité que vous produisez
▷ L'électricité que vous consommez

Doc 2 **Un essai pour allumer une DEL.**

Information

Une surface de 10 m² peut produire 1 000 kWh par an.

Doc 3 **Deux moyens à comparer.**

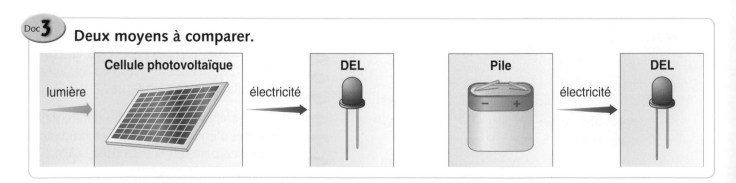

Avec des vitres, des miroirs, ...

Doc 4 **Produire de l'eau chaude.**

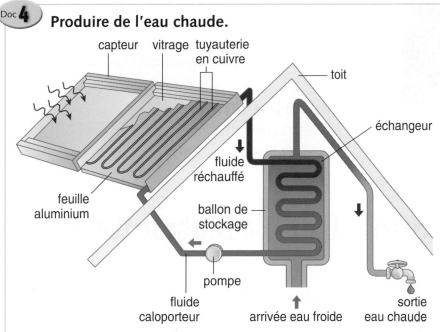

capteur vitrage tuyauterie en cuivre

toit

échangeur

fluide réchauffé

feuille aluminium

ballon de stockage

pompe

fluide caloporteur

arrivée eau froide

sortie eau chaude

Des capteurs solaires installés sur le toit des maisons permettent d'obtenir de l'eau chaude pour la distribuer dans la maison. Le fond des capteurs est de couleur sombre, et ils sont recouverts d'une vitre. Ils doivent être installés sur un toit bien ensoleillé.

L'expérience de Karim.

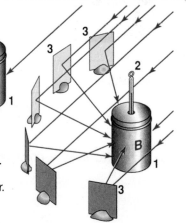

J'ai fait des essais avec des boîtes isolées identiques, orientées vers le Soleil.

vitre maintenue avec du ruban adhésif

boîte isolée

eau (toujours la même quantité)

cale

essais	n° 1	n° 2	n° 3
vitre	oui	oui	non
intérieur peint en noir	non	oui	oui
température de l'eau au départ	23°C	23°C	23°C
température de l'eau après 25 min	33,5°C	37°C	33°C

Doc 5 **Il y a toujours un miroir courbe dans les fours solaires.**

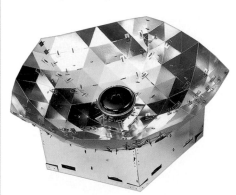

Une expérience pour comprendre

Quelques minutes suffisent pour constater une élévation de température beaucoup plus importante dans la boîte B que dans la boîte A.

1. Boîte de pellicule photographique remplie d'eau avec couvercle troué.
2. Thermomètre.
3. Miroir tenu par de la pâte à modeler.

Les boîtes A et B contiennent la même quantité d'eau.

Activités

- Fais le schéma du circuit électrique (doc. **2**). Quel dispositif permet de transformer la lumière en électricité (doc. **1** et **2**) ?

- Pourquoi une cellule photovoltaïque n'est-elle pas elle-même une source d'énergie ? Quelle source d'énergie utilise-t-elle (doc. **3**) ?

- Quelles boîtes doit comparer Karim pour savoir si la couleur noire a une influence ; et pour connaître l'influence de la présence d'une vitre (doc. **4**) ? Comment fonctionnent les capteurs solaires ?

- À quoi vois-tu qu'un miroir courbe est efficace pour chauffer avec le Soleil (doc. **5**) ?

As-tu déjà vu des robinets thermostatiques comme celui-ci ? Pourquoi l'a-t-on installé sur ce radiateur ? Sais-tu à quoi sert un thermostat ?

Des questions, des échanges...

➡ Connais-tu des moyens pour économiser le chauffage à la maison ?

➡ Sais-tu à quoi servent dans une maison les matériaux suivants : laine de verre, laine de roche, polystyrène ?

➡ Que peut-on faire pour économiser l'électricité dans la maison ?

Un problème à résoudre

➡ Comment économiser l'énergie à la maison ?

Comment économiser l'électricité ?

Doc 1 **Quelques exemples de consommation d'appareils électriques.**

Appareil	Puissance consommée (en watts)
lave-linge	1 000
lave-vaisselle	1 050
sèche-linge	3 400
téléviseur LCD	70
téléviseur plasma	250
fer à repasser	1 600
four électrique	2 100

Attention au mode veille !

La puissance consommée par un téléviseur LCD en veille peut être de 1 watt. C'est peu pour un téléviseur, mais 10 téléviseurs laissés en veille pendant 7 heures peuvent consommer autant qu'un téléviseur fonctionnant pendant 1 heure !

Doc 2 **Des lampes à comparer.**

Lampe à incandescence
- Puissance consommée : 75 W.
- Luminosité : 1 000 lumens
- Durée de vie : 1 000 h

Lampe à basse consommation
- Puissance consommée : 20 W.
- Luminosité : 1 000 lumens
- Durée de vie : 10 000 h

Lampe à DEL
- Puissance consommée : 10 W.
- Luminosité : 1 000 lumens
- Durée de vie : 50 000 h

L'isolation thermique est nécessaire

Les pertes d'énergie dans une maison non isolée.

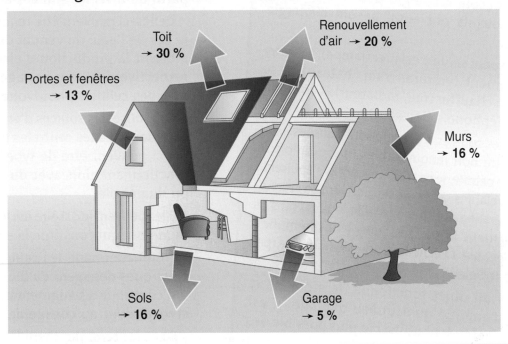

Toit → **30 %**

Renouvellement d'air → **20 %**

Portes et fenêtres → **13 %**

Murs → **16 %**

Sols → **16 %**

Garage → **5 %**

Des procédés pour isoler.

Des panneaux de laine de verre

Une information

1 cm d'isolant de type laine de verre ou polystyrène assure la même efficacité d'isolation que 36 cm de briques ou 3 m de béton.

Activités

- Range ces appareils selon leurs puissances décroissantes (doc. **1**).

- Compare les caractéristiques des lampes (doc. **2**).

- Que peut-on faire pour réduire la consommation d'énergie électrique à la maison ? (doc. **1** et **2**)

- Identifie sur le schéma du document **3** les pertes d'énergie dans une maison non isolée. Que faut-il donc isoler ?

- Comment peut-on limiter les pertes d'énergie au niveau d'un mur (doc. **4**) ?

- Comment ton école est-elle isolée au niveau des vitrages ? Au niveau du toit ? Au niveau du sol ?

J'ai découvert

Pages 134-135

L'énergie est indispensable

- Tous les objets de notre environnement quotidien ont besoin d'énergie pour fonctionner. Les êtres vivants ont aussi besoin d'énergie pour vivre.

- L'énergie peut servir à éclairer (lampe), à mettre en mouvement (voiture, train, bateau), à se déplacer, à chauffer (feu, radiateur), à communiquer (téléphone, téléviseur).

- Différentes sources d'énergie sont utilisées. Elles peuvent être non renouvelables (par exemple le charbon, le pétrole, le gaz) si leurs stocks s'épuisent ; ou renouvelables si ces stocks peuvent se reconstituer naturellement (par exemple le bois) ou s'ils sont tellement importants que leur diminution est négligeable à l'échelle d'une vie humaine (par exemple le Soleil).

- Quand un objet fonctionne, le stock de la source d'énergie qu'il utilise diminue. C'est pourquoi il faudrait utiliser le plus possible des sources d'énergie renouvelables.

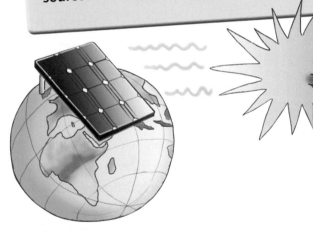

Pages 136-137

Produire de l'électricité

- La production d'électricité peut se faire à partir de diverses sources d'énergie.

- Celles-ci peuvent être renouvelables. C'est le cas de l'eau, du vent et du Soleil qui permettent la production d'électricité grâce à, respectivement, des barrages et des éoliennes, des cellules photovoltaïques.

- On utilise des sources d'énergie non renouvelables dans les centrales thermiques. Celles-ci peuvent être de type classique. Elles fonctionnent alors avec du charbon, du gaz ou du pétrole.

- Elles peuvent aussi être nucléaires. C'est alors l'uranium qui constitue la source d'énergie.

- En fonctionnant, les centrales thermiques classiques dégagent du dioxyde de carbone qui contribue à l'augmentation de l'effet de serre et donc au changement climatique.

- Dans les centrales thermiques, les centrales hydroélectriques et les éoliennes, on trouve une turbine, et un alternateur qui transforme le mouvement en électricité.

Pages 138-139

Le Soleil comme source d'énergie

- Le Soleil est une source d'énergie renouvelable. On peut l'utiliser :

– pour chauffer de l'air ou de l'eau : véranda, chauffe-eau solaire, four ménager ;

– pour produire de l'électricité : utilisation de cellules photovoltaïques qui transforment la lumière en électricité.

Pages 140-141

Consommer moins d'énergie

- Pour éviter des problèmes liées à la raréfaction des sources d'énergies, on peut consommer moins d'énergie dans notre vie de tous les jours.

- Différents objets sont conçus pour économiser l'énergie, par exemple des robinets thermostatiques sur les radiateurs, des lampes d'éclairage à basse consommation. On peut aussi éteindre les appareils non utilisés ou les lampes quand leur utilisation n'est pas indispensable et moins chauffer les pièces non occupées d'un logement.

- L'isolation thermique des maisons peut être améliorée par différents dispositifs : double ou triple vitrage, mise en œuvre d'isolants de bonne qualité et en épaisseur suffisante...

1 Fabriquer un bateau

1. Compare le fonctionnement du bateau du Mississipi avec celui du bateau à élastique.

2. Quelles sont les sources d'énergie de ces deux bateaux ?

3. Pour fabriquer le bateau à élastique, de quel matériel as-tu besoin ? Rédige une fiche de fabrication.

4. Le sens de déplacement du bateau dépend-il du sens de rotation de la roue à aubes ?

5. Pourquoi ces bateaux s'arrêtent-ils d'avancer ?

6. Que faut-il faire pour qu'ils puissent fonctionner de nouveau ?

Un ancien bateau à la Nouvelle Orléans.

Un moteur à charbon faisait tourner la roue à aubes sur les premiers bateaux du Mississipi.

Un bateau à élastique à fabriquer.

Compétence : Lire une photographie, faire une comparaison, rédiger une fiche de fabrication, établir des mises en relation et les justifier, proposer une explication et la justifier.

2 Faire une comparaison

1. Compare le fonctionnement de la voiture à ballon avec celui de l'avion à réaction.

2. Quelles sont les sources d'énergie de la voiture et de l'avion ?

L'Airbus A380 est un avion à réaction.

Des gaz chauds sont éjectés à grande vitesse vers l'arrière des réacteurs : c'est ce qui fait avancer l'appareil.

3. Pourquoi la voiture s'arrête-t-elle d'avancer ? Et l'avion de voler ?

4. Que faut-il faire pour qu'ils fonctionnent à nouveau ?

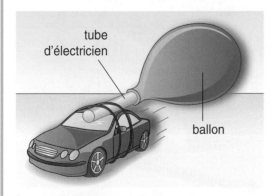

tube d'électricien

ballon

Une voiture avec un ballon pour moteur.

Compétence : Lire un dessin, une photographie, un texte, faire une comparaison, proposer une explication et la justifier.

J'utilise mes connaissances et mes compétences

3 Produire de l'électricité

Production d'électricité en France, en 2008

Production totale : 550 TWh
- Origine nucléaire : 76 %
- Origine fossile : 10 %
- Sources renouvelables : 14 % dont 12 % hydraulique et 2 % éolien et bois

(1 TWh vaut un million de millions de Wh)

Production d'électricité dans le monde, en 2004

- Origine nucléaire : 16 %
- Origine fossile : 66 %
- Sources renouvelables : 18 % (dont 16 % hydraulique)

1. Compare les origines des sources d'énergie utilisées en France et dans le monde pour produire de l'énergie électrique.

2. Trace des graphiques pour représenter les types de sources utilisées pour produire de l'énergie électrique en France puis dans le monde.

Compétence : Exploiter des données pour faire des comparaisons, traduire des données sous la forme d'un graphique.

4 Économiser l'énergie

Une étiquette « énergie » se trouve sur les appareils électro-ménagers. Dans quelles classes vaut-il mieux choisir les appareils que l'on achète ?

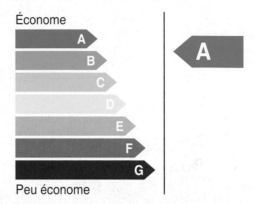

D'autres recommandations sont utiles pour économiser l'énergie.

1. Où faut-il éviter de placer un réfrigérateur dans une cuisine ?

2. Quand un réfrigérateur fonctionne, de l'énergie est transférée par chaleur de l'intérieur de l'armoire (air, aliments qu'elle contient) vers un liquide circulant dans un tube placé dans cette armoire, derrière une mince paroi. La glace est un isolant thermique.
Utilise ces informations pour expliquer pourquoi on recommande de dégivrer régulièrement un réfrigérateur ou un congélateur ?

Compétence : Lire un schéma, lire un texte, proposer une explication et la justifier.

5 L'énergie au XVIIᵉ siècle

1. Repère, sur le dessin représentant un paysage au XVIIᵉ siècle, les sources d'énergie utilisées pour chauffer, pour se déplacer (sur la terre et sur la mer), pour travailler la terre.

2. Ces sources d'énergie étaient-elles renouvelables ou non renouvelables ?

3. À quoi servaient les moulins ?

4. Quelles étaient leurs sources d'énergie ?

Compétence : Lire un dessin, utiliser ses connaissances pour faire des propositions et les justifier.

Les objets techniques

Combien de lampes sont grillées sur ce lustre et à quoi le vois-tu ? À ton avis, pourquoi les autres peuvent-elles s'allumer ?

Des questions, des échanges

➡ Que se passe-t-il chez toi quand une lampe grille dans la cuisine ? Les autres lampes peuvent-elles s'allumer ?

➡ À ton avis comment les lampes et les prises de courant sont-elles reliées à l'arrivée de l'électricité dans la maison ?

Un problème à résoudre

➡ Comment allumer plusieurs lampes à incandescence avec une seule pile électrique ?

Deux lampes pour un lampadaire

Doc 1 — **Le circuit électrique du lampadaire.**

Pour le montage électrique d'une maquette de ce lampadaire, une seule pile et un seul interrupteur permettent d'allumer les deux lampes en même temps.

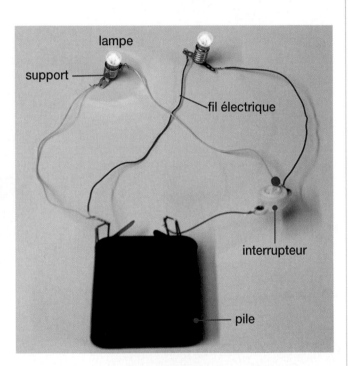

lampe

support

fil électrique

interrupteur

pile

Quel montage correspond au réverbère ?

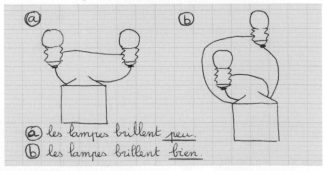

ⓐ les lampes brillent *peu*.
ⓑ les lampes brillent *bien*.

électriques à plusieurs lampes

Des maquettes de lampadaires à fabriquer et installer

Doc 2 Fabrique une maquette de lampadaire.

Pour comprendre l'assemblage d'un lampadaire.

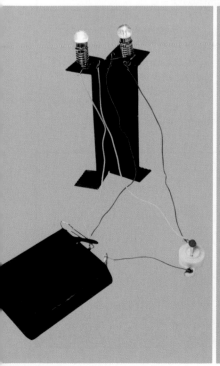 

Activités

- Observe la photographie du lampadaire et décris son éclairage. Représente le circuit électrique caché tel que tu l'imagines (doc. **1**).

- Compare avec la photographie et avec les schémas du cahier (doc. **1**).

- Réunis le matériel nécessaire pour fabriquer le lampadaire (doc. **2**).

- Prévois les étapes de la fabrication et construis la maquette (doc. **2**).

Des questions, des échanges...
➡ Connais-tu d'autres panneaux et symboles relatifs à la sécurité électrique ? À quels endroits les rencontre-t-on ?

➡ L'électricité peut-elle tuer ?

Un problème à résoudre
➡ Pourquoi l'électricité peut-elle être dangereuse ?

On trouve ce symbole sur les transformateurs électriques. Pourquoi un danger est-il signalé ?

Dans quelles situations y a-t-il danger ?

Doc **1** Les dangers à l'intérieur et à l'extérieur d'une maison.

Attention

Au-dessous de 24 volts, il n'y a pas de risque d'électrocution. En revanche au-dessus de 24 volts, l'électricité peut être dangereuse.

Pourquoi y a-t-il danger ?

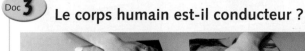

Doc 2 L'eau est-elle conductrice ?

Doc 3 Le corps humain est-il conducteur ?

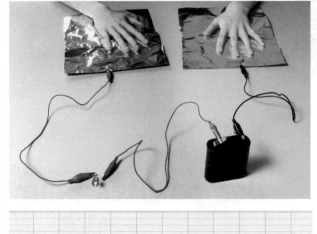

Doc 4 L'électrocution provoque la mort.

L'électricité tue en moyenne 180 personnes en France chaque année.
L'électrocution est l'ensemble des lésions provoquées par le passage de l'électricité à travers le corps. En effet, toute décharge électrique peut entraîner un arrêt du fonctionnement du système nerveux, des contractions cardiaques anormales et inefficaces, une contraction musculaire qui peut empêcher la victime de lâcher la source électrique, une contraction des muscles respiratoires. La mort survient très rapidement par paralysie du cœur (crise cardiaque) ou par blocage de la cage thoracique (asphyxie).

 ## Activités

- Classe les situations représentées à l'intérieur ou à l'extérieur de la maison dans la vie quotidienne en deux catégories : celles qui sont dangereuses et celles qui ne le sont pas. Explique pourquoi pour chacune d'elles (doc. **1**).

- Pourquoi une pile (4,5 volts) n'est-elle pas dangereuse alors que les prises de courant (230 volts) le sont (doc. **1**) ?

- Que nous montrent les expériences proposées ? Décris les éléments conducteurs présents dans les deux circuits entre les deux pôles de la pile (doc. **2** et **3**).

- Quels organes vitaux sont détruits lors d'une électrocution (doc. **4**) ? Quand un homme s'électrocute, il ne faut pas essayer de lui faire lâcher prise mais d'abord couper le circuit au niveau du disjoncteur. Explique pourquoi.

Des questions, des échanges...

➡ Comment s'y prend-on pour monter le canapé ?

➡ Quel avantage a l'utilisation d'une poulie par rapport à celle d'une échelle ?

➡ As-tu déjà vu des poulies dans d'autres objets ou situations ?

Un problème à résoudre

➡ Comment peut-on utiliser des poulies ? Pour quels usages ?

Une poulie est installée près du toit de cette maison. On y a ajouté une corde. À ton avis, à quoi sert ce dispositif ?

Des poulies pour soulever des charges

Doc 1 Poulies fixes et poulies mobiles.

Louis a fait des essais avec une poulie fixe, puis en associant une poulie fixe et une poulie mobile. Il a réalisé des équilibres en utilisant des écrous identiques.

Les résultats de Louis :

• avec une poulie

nombre d'écrous à gauche	1	2	3	4
nombre d'écrous à droite	1	2	3	4

• avec deux poulies

nombre d'écrous à gauche	1	2	3	4
nombre d'écrous à droite	2	4	6	8

Des poulies pour transmettre un mouvement de rotation

Doc **2** Un jouet à illusion d'optique et des solutions techniques à comparer.

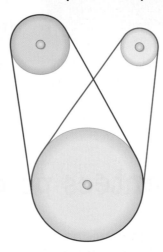

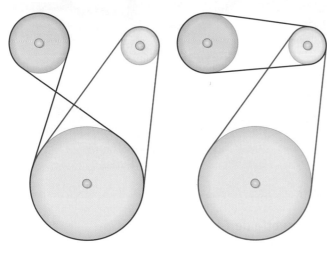

Activités

- Comment utilise-t-on une poulie pour soulever une charge (doc. **1**) ?

- Repère sur les maquettes les poulies fixes et les poulies mobiles (doc. **1**).

- Fais des essais comme ceux de Louis et compare tes résultats aux siens. Formule la conclusion (doc. **1**).

- Fais des essais analogues avec 4 poulies, 6 poulies… Que peux-tu conclure ?

- Décris comment on fait fonctionner ce jouet (doc. **2**). Où se trouvent les poulies ? À quoi servent-elles ?

- Compare les solutions techniques (doc. **2**). Laquelle choisiras-tu pour fabriquer ton jouet ?

En actionnant la roue dentée jaune, on peut faire circuler les billes par les circuits transparents jusqu'au casier de la roue dentée rouge en passant par les casiers des roues dentées bleue et verte.

Des questions, des échanges...

➥ Décris le mouvement de chaque roue dentée. Comment s'appelle un dispositif comprenant un ensemble de roues dentées qui s'entraînent ?

➥ Peux-tu imaginer les sens de rotation de ces quatre roues ? Que remarques-tu ?

➥ Connais-tu des objets avec des engrenages ?

Un problème à résoudre

➥ À quoi servent les engrenages ? Quelles sont leurs propriétés ?

Des roues dentées pour augmenter la vitesse

Doc 1 **Combien de tours pour un tour de manivelle ?**

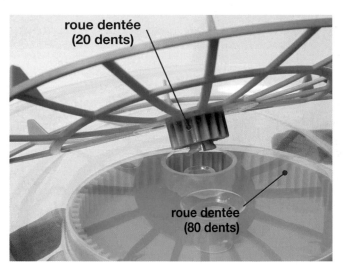

roue dentée (20 dents)

roue dentée (80 dents)

La maquette de Claire

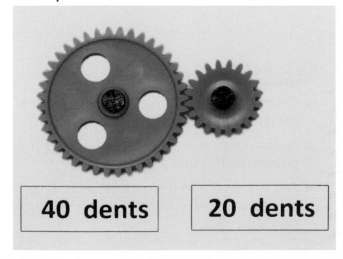

40 dents   20 dents

• pour l'essoreuse

nombre de tours de manivelle	1	2	3
nombre de tours du panier	4	8	12

• pour la maquette

nombre de tours de la roue d'entrée	1	2	3
nombre de tours de la roue de sortie	2	4	6

des engrenages

Un engrenage pour réduire ses efforts

Doc **2** **Un treuil à manivelle à observer.**

Doc **3** **Quelle maquette correspond au fonctionnement du treuil ?**

La maquette de Clara

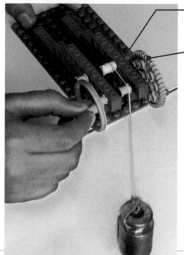

Nombre de dents de la **roue menée** : 8

Nombre de dents de la **roue menante** : 40

Pour 1 tour de manivelle, la ficelle s'enroule de 5 tours.

C'est difficile de tourner la manivelle.

La maquette de Maxence

Nombre de dents de la **roue menée** : 40

Nombre de dents de la **roue menante** : 8

Pour 5 tours de manivelle, la ficelle s'enroule de 1 tour.

C'est très facile de tourner la manivelle.

Activités

- À quoi sert une essoreuse à salade ? Comment s'en sert-on ?
  Pour un tour de manivelle, combien de tours fait le panier ? Et pour deux puis trois tours... (doc. **1**) ? Que peux-tu conclure ?

- Construis une maquette qui reproduit le mécanisme et teste-la. Observe et compare à l'essoreuse à salade démontée (doc. **1**).

- Pour un tour de roue d'entrée, y a-t-il plus ou moins d'un tour de roue de sortie (doc. **1** ?)

- Observe et décris la photographie du treuil qui permet de tracter des charges. Quelle est la roue d'entrée ? La roue de sortie (doc. **2**) ?

- Quelle roue va tourner le plus vite? Avec quelle maquette soulèveras-tu avec le moins d'effort une masse de 200 g (doc. **3**) ?

Un mécanisme

Quand le jouet roule, l'animal bat des ailes. Comment est-ce possible ?

Des questions, des échanges...

➤ Décris le mouvement de la roue et celui des ailes.

➤ Compare-les.

➤ Peux-tu repérer le mécanisme qui permet cette transformation du mouvement ?

Un problème à résoudre

➤ Quel mécanisme permet de transformer un mouvement de rotation continu en mouvement de va-et-vient ?

Quel mécanisme est caché dans cette carte ?

Doc **1** **Zélie a fabriqué une carte animée.**

Quand on tourne la roue toujours dans le même sens, le décor rentre et sort de la carte.

Les propositions de Faouzie et de Marie.

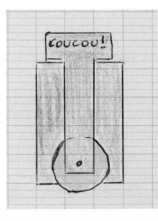

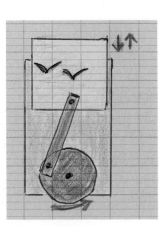

Un mécanisme présent
dans des objets très différents

Doc 2 Mélissa ouvre un parapluie.

La coulisse de commande **a** glisse le long du manche **b**, et chaque baleine **c** tourne autour d'un axe situé près du sommet du parapluie. Une bielle **d** relie les pièces **a** et **c**.

Doc 3 Une pompe à balancier pour puiser le pétrole.

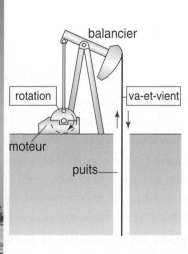

balancier

rotation | va-et-vient

moteur

puits

Activités

- Explique ce qui se passe quand on tourne la roue de la carte toujours dans le même sens (doc. **1**).

- Représente le mécanisme caché tel que tu l'imagines. Construis la maquette correspondante et teste-la.

- Compare avec les propositions de Faouzie et de Marie (doc. **1**).

- Réalise une carte animée analogue avec un décor de ton choix, en utilisant le mécanisme qui convient.

- Où se trouve la bielle sur chacun de ces objets (doc. **2** et **3**) ? Compare les mouvements à l'entrée et à la sortie pour chaque objet.

J'ai découvert

Pages 146-147

Des installations électriques à plusieurs lampes

On peut allumer deux lampes avec une seule pile de deux façons :

• Les deux lampes sont sur la même boucle : on dit qu'elles sont en série. Deux lampes identiques brillent de la même façon, mais moins que s'il y avait une seule lampe dans le circuit. Si une lampe est grillée, l'autre ne s'allume pas.

• Chaque lampe est sur une boucle : on dit qu'elles sont en dérivation. Deux lampes identiques brillent de la même façon, et comme s'il y avait une seule lampe dans le circuit. Si une lampe est grillée, l'autre reste allumée.

Pages 150-151

Des mécanismes avec des poulies

• Les poulies sont utilisées pour soulever des charges, transmettre des mouvements de translation ou de rotation.

• Pour soulever des charges, on peut associer plusieurs poulies (fixes et mobiles). Plus le nombre de poulies est grand, plus il est facile de soulever une charge. Ces mécanismes transmettent un mouvement de translation.

• Avec un mécanisme à deux poulies reliées par une courroie, on peut transmettre un mouvement de rotation. Les sens de rotation des poulies sont les mêmes (courroie droite) ou inverses (courroie croisée). Si les poulies ont des diamètres différents, la petite poulie tourne plus vite que la grande.

Pages 148-149

Quelques dangers de l'électricité

• L'électricité du secteur (230 V), des fils électriques portés par les pylônes est dangereuse. L'électrocution provoque de graves lésions dans le corps humain pouvant entraîner la mort.

• En revanche, une pile (1,5 V ; 4,5 V ; 9 V) ne présente aucun danger électrique.

• Il faut utiliser un détecteur plus sensible qu'une lampe pour vérifier que l'eau et le corps humain sont conducteurs électriques. Il est donc dangereux de manipuler des appareils électriques reliés au secteur en présence d'eau.

Pages 152-153

Les secrets des engrenages

• Un engrenage est une suite de roues dentées se commandant les unes les autres. Il permet de transmettre un mouvement de rotation en modifiant la vitesse et l'effort à appliquer. Les sens de rotation de deux roues qui s'entraînent sont inverses.

• Quand on a deux roues de diamètres différents, la petite roue tourne plus vite que la grande.

• Selon les besoins, on choisit de mettre en entrée une roue plus grande (grande vitesse en sortie) ou une roue plus petite (grande force en sortie).

Pages 154-155

Un mécanisme à découvrir

• Une bielle est une barre reliant deux pièces mobiles à l'aide d'articulations placées à ses extrémités : elle sert à transmettre et transformer un mouvement.

• Dans le cas où elle est reliée à une roue ou une manivelle, on appelle l'ensemble : système bielle-manivelle. On a alors un mouvement de rotation de la manivelle et un mouvement en va-et-vient de l'autre pièce.

• Dans un parapluie, la bielle transforme un mouvement de translation en mouvement de rotation.

J'utilise mes connaissances et mes compétences

1 — Le bonhomme de Margot

Margot veut allumer les deux yeux de son bonhomme. Elle fait les essais de montage ci-dessous.

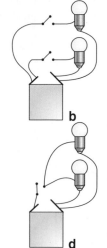

1. Quel montage doit-elle choisir :
– pour que les deux yeux s'allument simultanément et brillent bien ?
– pour que les deux yeux s'allument de façon indépendante et brillent bien ? Justifie tes réponses.

2. Avec quel montage les yeux ne vont-ils pas s'allumer quand on ferme l'interrupteur ?

Compétences : Lire un schéma, tirer des informations d'un texte, proposer une explication.

2 — C'est dangereux : vrai ou faux ?

– Laver un robot électrique sans le débrancher.

– Utiliser une canne à pêche sous une ligne électrique.

– Changer une lampe sans couper l'alimentation électrique de la maison.

– Faire des expériences avec des piles.

– Grimper sur un poteau électrique.

– Jouer au cerf-volant près d'une ligne électrique.

Compétences : Lire un texte, utiliser ses connaissances pour le rectifier.

3 — Dans quel sens tournent-t-elles ?

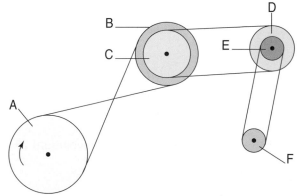

1. Pose du papier calque sur le dessin et indique par des flèches le sens de rotation de chaque poulie.

2. Les poulies B et C tournent-elles à la même vitesse ? Pourquoi ?

3. Indique quelle poulie tourne le plus vite, quelle poulie tourne le moins vite. Justifie ta réponse.

Compétences : Observer un schéma, compléter un schéma, proposer une explication.

4 — Avec des engrenages

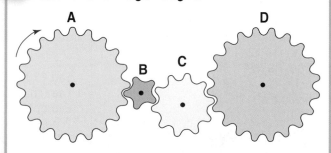

1. Indique, pour chacune de ces roues dentées, le sens de rotation.

2. Quelle roue tourne le plus vite ? Quelle roue tourne le moins vite ? Pourquoi ?

3. Combien de tours fait la roue D pour 1 tour de la roue A ? Pourquoi ?

4. Que se passerait-il si on supprimait les roues B et C ?

Compétences : Lire un dessin, proposer une explication.

Index

Index

CRÉDITS PHOTOGRAPHIQUES

Direction éditoriale : Jacqueline Erb
Fabrication : Jean-Marie Jous
Mise en page : Soro
Compogravure : CGI
Iconographie : Christine Varin

Dessins : Domino
Illustrations : Catherine Claveau
Couverture : Gérard Fally
Direction artistique : Pierre Taillemite

N° Éditeur : 10165760 – Dépôt légal : Mai 2010
Imprimé en Espagne par Graficas Estella

DEUX GRANDS GROUPES D'ANIMAUX : LES VERTÉBRÉS ET LES ARTHROPODES

LES VERTÉBRÉS
avec un squelette interne présentant une colonne vertébrale

Les noms ne sont pas à connaître.

POISSONS À SQUELETTE CARTILAGINEUX

un requin

POISSONS À SQUELETTE OSSEUX
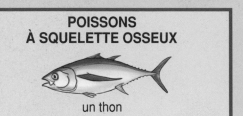
un thon

TÉTRAPODES
- squelette osseux
- quatre membres munis de doigts

Batraciens
mains à 4 doigts

une grenouille

Chéloniens
carapace dorsale et ventrale

une tortue d'eau douce

Mammifères
- mamelles
- corps recouvert de poils

un chat

Archosauriens
mâchoire à large ouverture

un lézard

Crocodiliens
fenêtre temporale triangulaire

un crocodile

Oiseaux
corps recouvert de plumes

une mouette

LES ARTHROPODES
- squelette externe formant une cuticule rigide
- pattes articulées

ARACHNIDES
- quatre paires de pattes
- une paire de crochets venimeux (chélicères)

une araignée

ANTENNATES
tête portant des antennes ; bouche munie de mandibules

Insectes
- trois paires de pattes
- tête et thorax séparés

une mouche

Crustacés
- deux paires d'antennes
- tête et thorax soudés
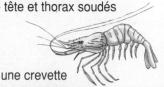
une crevette

Myriapodes
- nombreux segments
- nombreuses pattes

un mille-pattes